TÓTH DÓRA – BERA KÁROLY

A MAGYAR TÖRTÉNELEM

NAGY ALAKJAI

TÓTH DÓRA – BERA KÁROLY

A MAGYAR TÖRTÉNELEM
NAGY ALAKJAI

A könyv a **GRAPH-ART** stúdióban készült

Művészeti vezető: Dr. Bera Károly
Műszaki szerkesztő: Pintyéné Krucsó Mária

Szerkesztette: **Tóth Dóra**

A könyvben látható festményeket **Bera Károly** készítette

Kiadja: **AQUILA KÖNYVKIADÓ**

Felelős kiadó: **Rácsay László ügyvezető**

ISBN: 963 8276 44 4

ELŐSZÓ

Alig két év telt el azóta, hogy kiadónk gondozásában megjelent a *Magyar történelem gyermekeknek* című köny\. Ennek sikere világossá tette számunkra, mekkora igény van arra, hogy nemzetünk történelméről minél több magas színvonalú, színes képekkel illusztrált kiadvány jelenjen meg. A hozzánk érkezett számtalan olvasói levél nem hagyott kétséget affelől, hogy a legnagyobb érdeklődés a gyerekek körében a híres történelmi személyek iránt mutatkozik.

Sorozatunk második tagja, *A magyar történelem nagy alakjai,* a legjelentősebb királyaink, hadvezéreink és politikusaink életének bemutatásán keresztül fogja át hazánk történelmét a honfoglalástól egészen az 1956-os eseményekig.
A könyvben 28 történelmi személyiség kapott helyet. Életük fontosabb állomásaival kronológiai sorrendben ismerkedhet meg az olvasó. Az életrajzokat követő, sok-sok érdekességet is tartalmazó történetek nagyban hozzájárulnak jellemük pontosabb megismeréséhez. A korhű portrék és az eseményeket ábrázoló képek pedig méltó emléket állítanak nemzetünk nagyjainak.

A kézikönyvként is jól használható kötet készítésekor pedagógiai célunk az volt, hogy a kalandos históriákon keresztül a gyerekek érdeklődését a magyar történelem felé fordítsuk, segítve ezzel a tanárok munkáját.

Árpád fejedelem

A magyar fejedelmi, majd királyi család, az Árpád-ház névadó fejedelme. Egyes feltételezések szerint 845 és 855 között született, és 900 körül halt meg. Álmos fia és a Magyar törzs vezére volt. Régi források szerint az Etelközben választották fejedelemmé a törzsfők, és pajzsra emelve mutatták be, majd szerződést kötöttek vele. (Ugyanakkor Anonymus krónikája a vérszerződést Álmos uralkodásának idejére teszi.) A honfoglalás első időszakában feltehetően Kurszán kende mellett a gyula Árpád volt, így tehát a tényleges hatalom az ő kezében összpontosult. 895-ben seregei élén a Vereckei-hágón át vonult be a Kárpát-medencébe, ami tulajdonképpen a honfoglalás kezdetét jelentette. 904-ben Kurszán halála után magához ragadta a kende méltóságot, ezzel megszüntetve a kettős fejedelemséget. 907-ben őseink legyőzték a terület visszafoglalására induló bajorokat, s így végleg biztosították új hazájukat. De ebben az időben már Nyugat- és Dél-Európában kalandoztak a magyarok zsákmányszerzés céljából. Árpád fejedelemnek öt fiáról tudunk, Zoltáról, Tarhosról, Üllőről, Leventéről és Jutasról. Anonymus leírása szerint Árpádot legfiatalabb fia, Zolta követte a fejedelemségben, de más források Jutas fia, Fajsz uralkodásáról szólnak. Árpád fejedelem holttestét a hagyomány szerint az Óbudára folyó patakmeder forrása fölé temették el. A feltételezett sírhely közelében építették fel hálás utódai Fejér-egyházát, mely az Árpádházi királyok koronázási és temetkezési helye lett.

7

A magyar nemzet államalapítás előtti történetét csak a ránk maradt krónikákból és külföldi forrásokból ismerjük. Ezek azonban évszázadokkal később születtek, így igen gyakran tartalmaznak ellentmondásos információkat. A magyar uralkodó család őse a 820 körül született Álmos volt. Életéről alig tudunk valamit, de a krónikások szerint őt emelték a magyar törzsszövetség fejedelmi tisztébe. A magyar törzsek nevét Bíborbanszületett Konstantin bizánci császár leírásából ismerjük. E szerint a hét törzs neve: Nyék, Megyer, Kürt-Gyarmat, Tarján, Jenő, Kéri és Keszi volt, s hozzájuk nyolcadikként csatlakozott a kazároktól elszakadt kabarok törzse. A magyar uralkodóház névadó fejedelme Álmos fia Árpád lett. Róla így írnak a krónikások:

...Volt pedig Álmosnak egy hős fia, akit Árpádnak hívtak. Ebben a gyermekben telt a legnagyobb gyönyörűsége, mert Árpád erős, szép, bátor és becsületes lelkű férfiú volt. A csatában mindig a legelső sorban harcolt, s akire lesújtott kardjával, az rögtön elköltözött e szép árnyékvilágból. Szerették is Árpádot a magyarok, s amikor Álmos már kiöregedett a kormányzásból, őt tették meg vezérüknek.

Ősi magyar szokás szerint felemelték a pajzsukra, és körbehordozták a táborban minden harcos szeme láttára. A hét vezér közül őt választották a legfőbb emberré. Ezután pedig előhoztak egy aranyserleget, s azt egy kőoltárra állították. Aztán a törzsfők karddal egyenként felhasították a karjukat, s a kiömlő piros vérüket belecsorgatták az edénybe. Ekkor így szólott a legidősebb vezér:

– Ebben az aranyserlegben összekeveredett a vérünk. Most ebből a vérből mindannyian iszunk, és megesküszünk, hogy Árpádnak, a mi fejedelmünknek, hűséges vitézei leszünk.

És a hét magyar vezér ivott egy-egy cseppet az aranyserlegből, aztán megesküdtek, hogy Árpádnak és utódainak hűséges alattvalói lesznek, és teljesítik minden parancsolatát.

Ezután indult el Árpád, hogy megtalálja népe új hazáját. Ez pedig a Kárpátok magas hegyláncai által körülvett medence lett, melyet már a régi utazók is mint tejjel-mézzel folyó Kánaánt emlegettek. Árpád népe 895-ben nyomult be erre a területre, de már évekkel korábban megfordultak ezen a vidéken, amikor 862-ben a keleti frank uralkodó ellen fellázadt alattvalók hívták őket segítségül. 894-ben a bizánci császárral kötöttek szövetséget a bolgárok ellen, s eközben egy másik magyar sereg a morva uralkodó, Szvatopluk támogatására sietett. Őseink Szvatopluk váratlan halála után nem vonultak ki a Kárpát-medencéből, hanem a Felső-Tisza vidékére húzódva várták be a fősereg megérkezését. A honfoglalás valódi oka a besenyők támadása volt. Az Etelközben élő magyarok ugyanis nem tudták megvédeni magukat a nyugat felé vonuló besenyőkkel szemben, így állataikat hátrahagyva Erdély hágói felé igyekeztek. Egyes források szerint itt ölték meg Álmost, mert őt vonták felelősségre azért, hogy az ellenség olyan könnyen le tudta győzni az otthon maradottakat.

A magyarság először a Kárpát-medence keleti felét vette birtokba. Később elfoglalták a Felvidék morvák lakta nyugati részét és a Dunántúlt is.

III. Béla krónikása, Anonymus részletes leírást adott a magyar honfoglalásról. De a művében található adatok történetileg nem igazolhatók. Az ő krónikája szerint a magyarok Árpád vezetésével a Havasok felől érkeztek mai hazájukba. Elfoglalták Hung várát, ahol Árpádot hungvária vezérévé tették, katonáit pedig ezentúl hungváriusoknak hívták. Később Salán és Ménmarót vezérek legyőzésével birtokba vették a Kárpát-medence keleti vidékét. Gyümölcsény-erdő mellett szerét ejtették az ország minden dolgának, ezért ezt a helyet el is nevezték Szerinek. Ezután Magyarrévnél átkeltek a Dunán, és bevonultak Pannóniába. Ott elfoglalták Attila városát, amit a rómaiak csak Aquincumnak neveztek. Megfutamították a rómaiakat, és leigázták a Dunántúlon élő népeket.

A krónika ekképpen beszélte el Árpád hős vezér vitézi tetteit, és a magyarok honfoglalását.

Géza fejedelem

sem vetette meg. De felesége sem az orsóval vesződött naphosszat. Azon fáradozott egész életében, hogy a pogány magyarságot keresztény hitre térítse, és a nyugati hatalmakkal megbékítse. Az ő hatására 972-ben Géza hittérítő keresztény papokat hívatott az országba. Ő maga is megkeresztelkedett, s vele együtt a magyar nagyurak többsége. Gyermekeit keresztény hitben nevelte, s fia, Vajk, a keresztségben az István nevet kapta. A kereszténység felvétele azonban csak taktikai lépés volt Géza részéről, mert hamar felismerte, hogy az egyház segítségére lehet hatalma megszilárdításában és a nyugati országokkal való békés kapcsolat megteremtésében. Békepolitikáját gyermekei körültekintő kiházasításával is igyekezett megerősíteni.

Az Árpád-házból származó fejedelem 940 körül született, és apja, Taksony vezér halála után, 970-ben vette kezébe a hatalmat. Uralma megszilárdítása érdekében feleségül kérte egyik fő ellenlábasának, az erdélyi Gyulának a lányát, Saroltot. Fejedelemsége alatt megteremtette a feudális magyar állam felépítéséhez szükséges feltételeket. Ezen politikai célkitűzése érdekében az erőszakos eszközöket tő kiházasításával is igyekezett megerősíteni. Így rokoni kapcsolatba került a lengyel, a bolgár és a bajor uralkodóházakkal. A belső rend megteremtése érdekében kegyetlen keménységgel lépett fel a törzsi lázadók ellen. Székhelyét Esztergomba helyezte, s uralkodásának utolsó éveiben Pannonhalmán bencés apátságot alapított. 997-ben bekövetkezett halála után fia, István követte a fejedelmi méltóságban.

A kalandozások lezárulása után népünk válaszút előtt állt. Vagy felveszi a keresztény hitet, és beilleszkedik az európai népek sorába, vagy a környező feudális államok seregei által pusztul el. Géza fejedelem jól tudta ezt, ezért nem sokkal trónralépése után kapcsolatba lépett Nagy Ottó német-római császárral. 972-ben követeket küldött udvarába, és térítő papokat kért tőle, majd hozzálátott a pogány magyarok megkereszteléséhez. Egyik kortársa így jellemezte a fejedelmet: „Keményen és hatalmaskodva bánt népével, szerfelett szorgoskodott, hogy a lázadókat leverje és a szentségtelen szertartásokat eltörölje."...

Ebben a munkában nagy segítségére volt szépséges felesége, Sarolt fejedelemasszony, aki „olyan kemény természetű volt, hogy az urát és az egész országot a kezében tartotta. A férfitársaságot asztal alá itta, a lovat úgy megülte, akár egy lovas katona, és egyszer haragjában úgy megütött egy embert, hogy az menten szörnyethalt".

Egy alkalommal az országba hívatta Adalbertot, az Úr szent életű szolgáját, hogy segítségével rávegye Gézát Isten hitének felvételére. A fejedelem belátta az új hit elterjesztésének fontosságát, de a magyarok nagy része ragaszkodott a régi pogány szokásokhoz, és semmiképpen sem akarta elfogadni az új rendet. Ekkor Géza titokban levelet írt a keresztény fejedelmeknek, s arra kérte őket, hogy legyenek segítségére a konok fejű magyarjaival szemben. Jöttek is minden országból az állig felfegyverzett csapatok, de még az uralkodóik is, mert látni akarták, hogy miképpen hajtják e fékezhetetlen népnek a nyakát Krisztus igájába. Az összegyűlt hadsereget a fejedelem kisebb egységekre osztotta, és az ország legveszélyesebb pontjaira küldte. Amikor pedig minden előkészületet megtett, hírvivőket küldött szét ezekkel a szavakkal:

– Halljad, magyar, halljad! Vedd fel az igaz Isten vallását, és hagyd el a régi hitet! Ezt tette Géza fejedelem, ezt a fejedelemasszony is. Csak így élhet magyar ezen a földön, csak így üdvözül a lelke a túlvilágon. Aki ebből a szóból nem ért, azt tüstént kardélre hányja a katonaság, mert éppen ezért hozatták az országba.

Erre a szóra megrettentek maguk a nagyurak is. Így aztán volt, aki félelemből, volt, aki megfontolásból, de felvette a keresztény vallás szentségeit.

Ám a több napig tartó keresztelési szertartás csak látszólagos eredményt hozott. A katonaság hazatérte után az elöljárók vissza-visszakacsintottak elhagyott isteneikhez, és a pogány szokásokat sem hanyagolták el. De hát hogyne tették volna, mikor Géza fejedelem lelkében is ott fészkelt még a régi hit. Bármily kemény természetű volt is a felesége, mégsem tudta megakadályozni, hogy a fejedelem ide is, oda is pillantson, s hogy egyszerre két istennek mutasson be áldozatot. Mondta is nemegyszer udvari papja:

– Pokolra jut annak lelke, aki a pogányok bálványa előtt áldozatot mutat be.

De Géza fejedelem a feddő szavakat eleresztette a füle mellett. Egy alkalommal, amikor újra megszidta a papja, amiért régi istenei segítségét kérte, így szólt a fejedelem:

– Van nekem elég, amit áldozzak. Akkora úr vagyok, hogy két istennek is eleget adhatok.

Adott is gyakorta mindkettőnek, csakúgy, mint a népe. Mert az ő idejében bizony még együtt élt a pogányság a kereszténységgel, ahogy a szentírás mondja: „Együtt legeltek a farkas és a bárány."

Csak a fejedelemasszony óvakodott a régi hit rontó hatásától, és gyermekeit igaz kereszténységben nevelte. Fiúgyermekét, Vajkot is megkereszteltette, aki a szertartás után az István nevet kapta. István alaposan megszívlelte Krisztus tanítását, de uralkodása idején még véres csatákat kellett vívnia a pogány nagyurakkal. A trónhoz vezető út első áldozata a család legidősebb férfi tagja, a nagyhatalmú Koppány volt, aki a régi törvény alapján magának követelte a hatalmat. István azonban nem engedte ki a kezéből az irányítást, és a Géza fejedelem által megkezdett úton haladva Magyarországot erős feudális állammá tette.

I. István király

nagy hatalommal rendelkező törzsi vezetőket: Aba Sámuelt, Vatát, Gyulát és Ajtonyt engedelmességre kényszerítette. Ezzel párhuzamosan kiépítette az ország egyházszervezetét. Uralkodása alatt tíz egyházmegyét hozott létre, bencés apátságokat alapított, plébániák építését rendelte el, és támogatta a külföldi papok munkáját. A vérségi kötelékeken alapuló területi egységeket vármegyék létrehozásával törte meg. Két törvénykönyve maradt fönn és egy államelméleti munkája, melyet fiának, Imre hercegnek szánt, aki 1031-ben egy vadászat alkalmával meghalt. I. István Imre herceg halála után nővére fiát, Orseolo Pétert jelölte ki utódjának, mellőzve a fiúági örököst, Vazult. Ezért Vazul merényletet tervezett ellene, de István dühében megvakíttatta és fiait külföldre száműzte. István sikeres külpolitikát folytatott. Megvédte államát a lengyel I. Boleszlóval szemben 1015 és 1018 között, és a német II. Konrád ellenében 1030 és 1031 táján.

975 körül született, majd Géza fejedelem halála után 997-ben, a szeniorátus elvével ellentétben – ami Koppány trónkövetelésének volt az alapja –, ő lett a fejedelem. 995-ben feleségül vette a bajor Gizella hercegnőt. 1000. december 25-én vagy 1001. január 1-jén királlyá koronázták. A koronát III. Ottó német-római császár biztatására II. Szilveszter pápától kérte és kapta meg. István király a még mindig

Nemzetünk legelső keresztény uralkodója 1038. augusztus 15-én halt meg, és holttestét Székesfehérvárott helyezték örök nyugalomra.

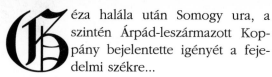

éza halála után Somogy ura, a szintén Árpád-leszármazott Koppány bejelentette igényét a fejedelmi székre...

Egy alkalommal, amikor István legkedvesebb vitézeivel több napig vadászott, egy éjszaka idegen lovas érkezett a táborba. A hírvivő lepattant habzó szájú lováról, s így szólt:

– Géza úr halott!

E néhány szót döbbent csend követte, de még felocsúdni sem volt idejük, mikor újabb lovas érkezett:

– Koppány úr megindult hadaival Fejérvár felé! – kiáltotta rémülten.

István aztán vallatóra fogta a két követet, s megtudta, hogy Géza fejedelem gutaütésben halt meg a Bakony hegységben, s hogy, hogy nem, halála hírét hamarabb tudta meg Koppány, mint maga a fejedelemasszony Fejérvárott.

István egy percig sem tétovázott, hanem kíséretével együtt felnyergelt, s megindult Esztergom felé. Esztergom városában már ott várta őt Koppány embere, s így tolmácsolta ura szavait:

– Bátyám fia, Vajk! Őseink szokása szerint, Géza fejedelem elhalálozásával nőül veszem a te anyádat, Saroltot, s a Turul-nemzetség ura és parancsolója mostantól fogva én leszek.

István végighallgatta a követ szavait, majd így szólt:

– Honnan veszed a bátorságot, te eb, hogy ilyen szavakkal állítasz be énhozzám? Sarkantyúzd meg a lovad, és szélsebesen térj vissza uradhoz, különben nyelved vesztével fizetsz szavaidért.

Azzal a félholtra vált küldöncöt kidobták a teremből. István maga elé hívatta saját hírvivőit, s elküldte őket a szélrózsa minden irányába, hogy hadat toborozzanak. A vártnál azonban sokkal lassabban gyűltek a harcosok, s eközben Koppány seregei a Bakony-ér mentén lassan a Duna vizéhez közeledtek.

Ekkor István Vencelinnel, Honttal, Pázmánynyal és Borzzal megbeszélte a haditervet. Az ifjú hadvezér így gondolkodott: – Ha Koppány íjasai zárt rendben támadnak, nagy kárt tehet-

nek seregünkben, ezért úgy gondolom, hogy könnyűlovasainkat három részre kell osztani. Amikor az első csapat rátámad az ellenségre, Koppány hada feléjük fordul, s így vérteseink könnyűszerrel oldalba támadhatják őket.

Az elképzelés tetszett a vitézeknek, s e szerint állították fel csapataikat.

Koppány serege persze sokkal népesebb volt, mint az Istváné, de éppen ezért nem is voltak olyan elővigyázatosak. Borz íjasai harsány kiáltozásokkal törtek rájuk, s nyilaikkal sok harcost terítettek a földre. Erre Koppány seregében hirtelen nagy zűrzavar támadt, de a vezérek kürtjeleikkel megnyugtatták a közlegényeket. A csapat, miután rendezte a sorait, az ellenségre támadt, s mikor már István hátat fordító íjasai után száguldoztak, hirtelen egy domb mögül felbukkantak a vértesek, és oldalba támadták őket. A bajorok nehéz kardjaikkal buzgón aprítani kezdték Koppány íjasait, s így aztán öt perc alatt eldőlt a csata. A győzelem érzésétől megtáltosodott vértesek egy ingoványba terelték Koppány rémült harcosait, s ott aztán egyenként lenyilazták őket. Koppány vezér azonban nem adta olyan könnyen az életét. Még akkor is elszántan harcolt, amikor már a vértesek körbefogták, és súlyos csapásokat mértek rá. Ekkor érkezett István, s így kiáltott:

– Azt a selyemkaftánost ne bántsátok, csak kötözzétek meg jó alaposan, és vigyétek rögtön Esztergomba!

Másnap reggel maga elé hívatta gyűlölt ellenségét, s így szólt hozzá:

– Tudsz-e nekem olyat mondani, ami miatt elkerülhetnéd a bosszúmat?

Koppány rátekintett legyőzőjére, s még láncra verve is igen dölyfösen válaszolt:

– Életem a tied, ám ne hidd, hogy legyőztél! Élnek még fiaim, akik szörnyű haddal fognak felvonulni ellened, te németek bábja, őseid megtagadója!

Ennél több szava már nem volt, de nem is lehetett, mert István katonái keményen megragadták és kivezették a teremből.

Az udvaron a hóhérnak adták, aki fejét vette, majd testét a fejedelem parancsára felnégyelte.

I. Béla király

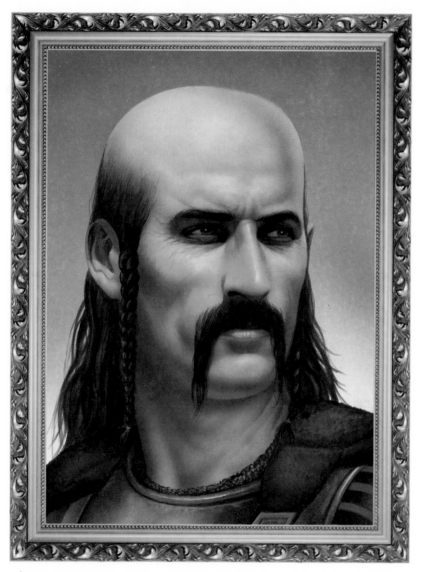

bi ígéretét megszegve saját fiát, Salamont koronáztatta királlyá. Bélát választás elé állította, hogy a koronára vagy a kardra (a hercegségre) tart igényt. Béla a király jelenlétében a kardot választotta, de nem sokkal később Lengyelországba menekült, hogy fegyveresen szerezze meg a trónt. Lengyel csapatokkal tért vissza az országba, és a Tisza vidékén sikeresen harcolt a bátyja ellen. I. András 1060-ban bekövetkezett halála után Béla magához ragadta a hatalmat. 1061-ben a székesfehérvári törvénylátó napokon az egybegyűltek a pogányság visszaállítását követelték tőle. A megmozdulást, melyet Vata fia János vezetett, erős kézzel verte le a király. Salamon eközben a német udvarban szervezkedett a

1016 körül született Vazul harmadik fiaként. Apja megvakíttatása után Csehországba menekült, majd a lengyel udvarban talált menedéket. A II. Mieszkó lányával, Richezával kötött házasságából három fia született, Géza, László és Lampert. 1050 körül bátyja, I. András hívására hazatért, hogy átvegye az irányítást a neki felajánlott dukátus (hercegség) teljes területe felett. 1059 körül András koráb- trón visszaszerzése ügyében. 1063-ban támadást indított Magyarország ellen. A háborúra készülő uralkodó azonban szerencsétlenül járt, Dömsödön rászakadt a trónépítmény, ami aztán súlyosan megsebesítette. De ő még halálos betegen is az ország védelmére indult, ám nem sokkal később Mosonban meghalt. I. Béla királyt az általa alapított szekszárdi apátság kápolnájában nagy pompával temették el.

A magyar trónra 1046-ban I. András került, a megvakított Vazul idősebb fia. Öccse, Béla herceg száműzetése idején bejárta az európai uralkodóházak udvarait, míg végül a lengyel király palotájában telepedett le. Eközben bátyját a német-római császár, III. Henrik szorongatta Magyarországon. Henrik érvényesíteni szerette volna hűbéri fennhatóságát Magyarország felett is, de ezt András semmiképpen sem akarta elfogadni. Ezért a megdühödött császár 1051-ben hadjáratot indított az ország ellen, de a Vértes hegységben súlyos vereséget szenvedett. Henrik azonban nem nyugodott bele kudarcába, hanem egy évvel később újabb támadást szervezett Magyarországra. Ebből az időből maradt fenn Búvár Kund vagy más néven Zotmund vitéz hőstettének története...

Béla hercegnek nagy becsülete volt Lengyelországban. A kardja meg a bátor szíve ismertté tette az idegen földön. Vitézségének híre még Magyarországra is eljutott, ahol ekkor már javában készülődött a király a Henrik császár elleni háborúra. András megörült, hogy öccse ilyen becsületet szerzett a magyar népnek, de mivel ő maga is igen szorult helyzetben volt, hazahívatta testvérét, Bajnok Bélát. Mikor a herceg megkapta a kétségbeesett üzenetet, bármilyen jó dolga is volt Lengyelországban, megdobbant a magyar szív keblében, és néhány hű embere kíséretében szülőföldje segítségére sietett. Volt nagy öröm a palotában, mikor bevonult a herceg. A király testvére nyakába borulva e szavakat mondta neki:

– Édes öcsém, ha megmented az ellenségtől Magyarországot, neked adom harmadrészét, s megígérem, hogy halálom után te leszel a király.

Erre így felelt Béla herceg:

– Becsületes magyar vitéz vagyok én, s ha nem ígérsz is koronát, kötelességemnek érzem, hogy megvédjem az én édes hazámat.

A király néhány nap alatt nagy sereget gyűjtött, s megindult a határ szélére, hogy illendőképpen fogadja az ellenséget. A német hadak a Dunán hajóztak le Pozsony váráig, s nagy erővel törni kezdték falait. Nyolc teljes hétig tartották körülzárva, de a sokféle hadi géppel hiába ostromolták, mert Pozsony védői ellenálltak a német támadásnak. De a németek csak nem tágítottak. Ekkor Béla herceg magához hívatta egyik hű emberét, Kundot. Ez a Kund kiválóan tudott úszni és víz alá merülni, ezért kapta a Búvár Kund nevet. A herceg így szólt hozzá:

– Hallod-e, Kund vitéz, ma éjjel, míg a németek az igazak álmát alusszák, merülj alá a Dunában, és fúrd át a hajójuk fenekét, hogy holnapra kevesebben legyenek.

Búvár Kundnak se kellett kétszer mondani. Aznap éjszaka, mikor a hold egy nagy fekete felhő árnyékába bújt, Kund vitéz társával, Urosával a németek gályáihoz evezett, majd a vízbe ereszkedve megfúrta a hajók fenekét. Az éjszaka folyamán a behatoló víz a tatban tárolt gabonát megduzzasztotta, és mire a nap felkelt, az ellenség utánpótlását szállító hajók a Duna legaljára süllyedtek.

Henrik császár amint megtudta flottája pusztulását, kénytelen volt letenni hódító terveiről. Később békésebb eszközökhöz folyamodott. Felhagyott az Andrással való háborúskodással, és lányát hozzáadta a hatéves trónörököshöz, Salamonhoz.

A két testvér közötti békesség azonban nem tartott sokáig. A trónöröklés kérdéséből családi viszály lett. András ugyanis a német veszedelem elhárítása után már nem akarta betartani öccsének tett ígéretét – hogy halála után ő örökli a magyar koronát –, hiszen közben megszületett fiúgyermeke, a kis Salamon. Most már inkább a nyugat-európai szokásnak, az elsőszülöttségi utódlásnak megfelelően fiát jelölte a trónra. Béla herceg olyannyira megorrolt bátyjára, hogy Lengyelországból hadat hozatott, és véres harcok közepette legyőzte a szószegő királyt. 1060-ban András súlyos sérülésekkel esett öccse fogságába, és Zircen utolérte a halál. Ekkor Bélát Székesfehérvárott királlyá koronázták, de eközben Salamon már német rokonainál tervezte a hatalom erőszakos visszavételét.

I. László király

arra, hogy beavatkozzon a magyarországi viszonyokba. I. László szigorú törvényeket hozott a magántulajdon és a belső rend megszilárdítása érdekében. Három törvénykönyve maradt ránk. Jelentős tevékenységet fejtett ki az egyházi szervezet továbbfejlesztése érdekében. A biharvári püspökség székhelyét Váradra helyezte, és élére Kálmánt állította. 1083-ban szentté avatta I. Istvánt, Imre herceget és Gellért püspököt. Uralkodása első felében békés kapcsolatot tartott fenn a szomszédos országokkal, majd 1091-ben a horvát uralkodócsalád kihalása után ellenőrzése alá vonta Horvátországot. Az új terület irányításával Álmos herceget bízta meg. Még ebben az évben megverte az Er-

1040 körül született Lengyelországban, I. Béla király fiaként. 1074-ben fivére, Géza uralma idején a nyitrai hercegséget igazgatta. 1077-ben a király halála után László örökölte a trónt. Őrá hárult a feladat, hogy a feudális rendet megszilárdítsa az országban. Az időpont kedvező volt, ugyanis IV. Henrik német-római császárt a VII. Gergely pápával való küzdelem kötötte le, így nem maradt ereje

délyt megtámadó kunokat. Élete végén szövetségre lépett IV. Henrikkel, s így ellentétbe került a pápával. 1094-ben a Lengyelországba menekült Kálmán herceget visszahívta, s mivel neki fiúgyermeke nem született, így őt jelölte utódjának. I. László 1095-ben halt meg. 1192-ben III. Béla uralkodása idején avatták szentté. Hadi erényei miatt, Lászlót a későbbi nemzedékek „lovagkirályként" tisztelték.

A fiatal Salamon királyt III. Henrik halála után IV. Henrik vette a szárnyai alá. Salamon I. Béla ellenében próbálta megszerezni a magyar trónt. Ehhez kérte a császár segítségét, aki készségesen vállalkozott a feladatra. Henrik abban bízott, hogy a győzelem kivívása után Magyarország hűbéri függését is elérheti. 1063-ban indult meg a támadás, de Béla király balesete miatt Salamon harc nélkül elfoglalhatta a trónt. Az uralkodóváltás után az elhunyt Béla fiainak, Gézának, Lászlónak és Lampertnek sem volt tovább maradása, ezért Lengyelországba menekültek. Salamon azonban nem akart további családi viszálykodást, és kibékült unokatestvéreivel. 1068-ban már együtt harcoltak a besenyők ellen, és Kerlésnél fényes győzelmet arattak a betolakodók felett. Ehhez a csatához kapcsolódik az a legenda, amely László győzelmét meséli el a leányrabló kun vitéz felett...

1068-ban történt, hogy a pogány kunok a Meszesi-kapu felső részénél betörtek Erdélybe. Kegyetlenül végigpusztították az egész vidéket, kirabolták a Nyírséget, és egészen Bihar városáig nyomultak. Minden ellenállás nélkül átkeltek a Lápos patakon és a Szamos folyón, majd foglyaikkal és a zsákmányukkal elvonulni készültek a megdézsmált vidékről. De Salamon király sem hagyta ezt annyiban. Gézával és Lászlóval összegyűjtötték seregeiket, s a kunok után indultak, hogy bosszút álljanak rajtuk. Sietősen átkeltek a Meszesi-kapun, majd Dobodka városában csaknem egy hétig várták a pogányok megérkezését. A hetedik napon aztán egy Fancsika nevű kém jelentette, hogy kun sereg közeledik. A király és a hercegek csatarendbe állították csapataikat, és felkészültek a pogányok fogadására. A kunok elbizakodottságukban roszszul mérték fel a magyarok hadi erejét. Ozul nevű hadvezérük így szólt a sereg láttán:

– A magyarok ellen csak az ifjú vitézeket küldöm, hadd játszadozzanak el egy kicsit övelük.

Ozul ugyanis olyan gőgös vezér volt, hogy lenézte minden ellenségét, mert azt hitte,

hogy vele és kun seregével senki sem mérkőzhetik meg. A többi pogány viszont nem így gondolta, mert a magyar sereg láttán félelem költözött a szívükbe. Jelentették is gyorsan Ozulnak, hogy itt a veszedelem. Erre már maga a kun vezér is felvonult a Kerlés nevű hegy magaslatára, hogy szemügyre vegye katonái megrettentőit. A magyar sereg a hegy lábánál sorakozott, a kun íjászok pedig a Kerlés fennsíkjain várták az összecsapást. A bátrabb pogányok viszont nem bírtak már harci kedvükkel, leereszkedtek a hegy derekára, s onnan kezdték nyilazni a magyarokat. De a király vitézeit sem kellett félteni, bátran megrohanták az íjászokat, és aprítani kezdték őket. Erre a kunok nagyon megrémültek, gyorsan hátat fordítottak, és felmenekültek a hegy tetejére.

Salamon király a legmeredekebb lejtőn kúszott felfelé, s az ellenség nyilainak sűrű záporozása sem késztette meghátrálásra.

Géza herceg, aki mindig megfontoltabb és óvatosabb volt, a lankásabb hegyoldalon haladt felfelé, s a rábocsátott nyilakra ő is nyíllal válaszolt.

László herceg hatalmas testi erejét latba vetve már az első roham alkalmával levágott négy tagbaszakadt kun vitézt. Amikor az ötödiket megtámadta, az súlyos sebet ejtett nyílvesszőjével a herceg testén. De László ezzel mit sem törődve, fejét vette az ötödik kunnak is.

A kunok, látván a magyar vitézek erejét, futásnak eredtek, de erre a magyarok csak még sebesebben üldözték őket.

Ekkor történt, hogy László herceg meglátott egy pogány katonát, aki menekülés közben egy magyar lányt ragadott fel a lovára. A herceg erre megsarkantyúzta paripáját, s a lány megszabadítására indult. Már csak egy lándzsa hossza választotta el a kuntól, de utolérni sehogy sem tudta. Ekkor odakiáltott a lánynak:

– Szép húgom! Ragadd meg a kunt övénél fogva, és vesd le magad a földre!

A bátor szívű lány megtette amire kérték, ezután László herceg bőszen rátámadt a rablóra. Nagy dühében elvágta a kun vitéz inát, majd egy kardsuhintással a másvilágra küldte.

Könyves Kálmán

1074-ben született I. Géza fiaként, majd 1095-ben ő örökölte az uralkodói hatalmat. A természet nem volt túl kegyes Kálmán királyhoz. A korabeli krónikák szerint félvak, púpos, sánta volt, és dadogott. Mindig tanult és olvasott, s ezért kapta a „Könyves" jelzőt a neve elé. Öccse, Álmos herceg viszont délceg termetű katona volt, igazi Árpád-házi sarj. Amikor aztán mégsem ő örökölte a királyi trónt, fegyverrel próbálta megszerezni a koronát. Kálmán legalább öt ízben megbocsátott engedetlen öccsének, mígnem 1113-ban végleg megelégelte az állandó testvérháborút. Amikor tudomást szerzett egy újabb szervezkedés híréről, Álmost és kisfiát, Bélát megvakíttatta, s egyúttal megszüntette a dukátus intézményét. Kálmán király intézkedéseivel tovább erősítette a korabeli feudális magyar államot. Növelte a külkereskedelmi forgalmat, adóreformot vezetett be, szorgalmazta a papi nőtlenséget; és megalapította a nyitrai püspökséget. 1100-ban a tarcali zsinaton hozott törvényei már enyhébbek voltak I. László törvényeinél. Ebből arra következtethetünk, hogy az ő idejében a feudális berendezkedés már megszilárdult Magyarországon. 1102-ben elfoglalta Horvátország déli részét és a Dalmát-szigeteket, majd később horvát királlyá koronáztatta magát. A trónutódlás kérdését még életében ügyesen megoldotta, mert fiának, a későbbi II. Istvánnak 1105-ben hatalmat adott. 1116-ban hunyt el Könyves Kálmán, akit a kortársai Európa legműveltebb uralkodójaként tartottak számon.

zent László királynak nem volt fiú utóda, ezért Géza két gyermekét, Álmost és Kálmánt vette pártfogásába. Az idősebb, Kálmán mindig tanult és olvasott, ezért a király papot akart nevelni belőle. Ezzel szemben Álmos herceg legszívesebben vadászattal és katonáskodással múlatta idejét, s a lelke mélyén abban bízott, hogy ő kapja meg a királyi trónt. Reményei azonban hamar szertefoszlottak, amikor László király halála után mégis Kálmánt emelték a magyar trónra. Álmos herceg erre leghűségesebb vitézeivel elhagyta bátyja udvarát...

A rosszindulatú királyi tanácsadók megragadták az alkalmat, és ördögi cselszövésekkel egymás ellen uszították a testvérpárt. Álmos hercegnek azt mondták:

– Herceg úr, a király alattomos tervet eszelt ki ellened, és el akar fogatni.

A királynak pedig ezt suttogták:

– Kegyelmes királyunk! Óvakodj az öcséd tőrétől, mert a vesztedre tör.

Ezek a beszédek hatottak a két testvérre, mert egyébként is nagy bizalmatlansággal viseltettek egymás iránt, ezért mindketten sereget toboroztak. Kálmán a Tiszához vezette seregét, és Várkony mellett ütötte fel táborát. De a herceg sem késlekedett. Az ő hadai a folyó másik oldalán állomásoztak. Már-már megkezdődött a testvérháború, amikor tanácskozni kezdtek a nagyurak. Amikor maguk között megegyezésre jutottak, egymás táborába is átmentek, és közösen is megvitatták a király és a herceg ellenségeskedésének az ügyét.

– Ugyan miért törnének egymás életére? – kérdezték. – Az egyik tábor győzelme a másik pusztulását okozná. Ha Kálmán és Álmos viszálykodni akar, ám verekedjenek meg egymással, és mi a győztest elfogadjuk parancsolónknak. De mi nem látjuk értelmét a harcnak.

A bölcs tanácsot végül a király és a herceg is megfogadta, és békét kötöttek. A nyugalom azonban nem tartott sokáig. Álmos herceg főurai biztatására Lengyelországba ment, ott sereget szervezett, és hadával Magyarországra

tört. Néhány napos küzdelem után elfoglalta Újvárat. Mikor ezt megtudta a király, mindjárt a helyszínre vonult, de alig kezdte el a vár ostromát, amikor Álmos herceg minden kíséret nélkül hozzá vágtatott, és bocsánatért esedezett. A király megbocsátott öccsének, de az továbbra sem tért jobb belátásra. Amikor egy alkalommal Álmos herceg vadászni ment a Bakonyba, a király két főurat rendelt mellé azzal a megbízással, hogy gondosan ügyeljenek Álmos minden szavára és tettére. Ha azt tapasztalják, hogy újra lázadni készül a király ellen, tüstént tegyenek jelentést róla. Álmos herceg Csór község határában űzte a vadat. Elbocsátotta vadászsólymát, s az kis idő múlva egy varjúval a karmai között tért vissza. Ezen elgondolkodva azt kérdezte a herceg a két főúrtól:

– Mi lenne, ha a varjú megesküdne a sólyomnak, hogy nem károg többet, ha elbocsátja?

A főurak így feleltek a furcsa kérdésre:

– Ugyan, esküdhetne az napestig, a sólyom semmiképpen nem engedné el. De a varjú nem is eskühet, mert oktalan állat.

A főurak mögé láttak a herceg szavainak, s még azon az éjszakán jelentést tettek a királynak az elhangzott párbeszédről.

De Álmos is sejtette, hogy minden szavát figyelik, ezért sietve Passauba ment, hogy segítséget kérjen a német császártól. Így aztán tovább folyt a viszálykodás a testvérpár között. A császár Magyarországra vezette hadait, és kieszközölte a békét Kálmán és Álmos között. A király hálája jeléül gazdagon megajándékozta a németeket, és fényes kíséretet adott melléjük. Viszont a külföldi csapatok kivonulása után 1113-ban végképp megelégelte öccse engedetlenségét. Őt és kisfiát, Bélát elfogatta és megvakíttatta. Az ítéletet három főúr hajtotta végre Álmoson. A kisfiút pedig egy csapat ispán ragadta ki anyja öléből, és vette el szeme világát. Ugyanekkor három főúrnak, Urosnak, Vatának és Pálnak is kiszúratta a szemét a király. A vak herceget ezután az általa alapított dömösi monostorba száműzték. A kis Bélából pedig később fogyatékossága ellenére is nagy uralkodó lett.

IV. Béla király

1206-ban született II. András és a tragikus véget ért meráni Gertrúd királyné gyermekeként. 1214-ben megkoronázták ugyan, de területi hatalmat csak később kapott. Fellépett apja adományozáson alapuló birtokpolitikája ellen. 1235-ben királlyá koronázták. Trónra lépése után leszámolt apja híveivel, s a vezető tisztségekbe hozzá hű főurakat állított. A királyi földek visszavétele nagy ellenállást váltott ki az érintett földbirtokosok körében. 1239-ben engedélyezte a tatárok elől menekülő kunok betelepülését, s ezzel tovább növelte népszerűtlenségét. A tatár fősereg Batu kán vezetésével Muhinál 1241. április 11-én ütközött meg a magyar csapatokkal, és mért rájuk végzetes vereséget. A király is menekülni kényszerült. Ekkor Frigyes osztrák herceg fogságába esett, és szorult helyzetében át kellett adnia a királyi kincstárat és három megyéjét, Mosont, Sopront és Pozsonyt. A tatárok kivonulása után 1242-ben Béla visszatért elpusztított országába, és hozzálátott az újjáépítéshez. Korábbi politikájával ellentétben erősen ösztönözte a várépítéseket, hogy ezzel is megerősítse az ország védelmét. Fiát, a későbbi V. Istvánt, a kun fejedelem lányával házasította össze. 1254-ben megszerezte Bécsújhely környékét és Stájerország igen jelentős részét, melyről azonban 1260-ban II. Ottokár cseh király javára le kellett mondania. 1267-ben megújította az apja által kiadott Aranybullát, melyben újra elismerte a serviensek jogait. 1270-ben IV. Béla király meghalt, és az esztergomi minoriták templomában temették el.

A tatár törzseket a XIII. században a legendás hírű Dzsingisz kán egyesítette. A nomád seregek 1236-ban indultak el belső-ázsiai hazájukból európai hadjáratukra, melynek során Magyarországot is végigpusztították.

Ebben az időben a magyar király IV. Béla, az atyja által felelőtlenül eladományozott birtokok erőszakos visszaszerzésével volt elfoglalva. Ezzel persze magára haragította a főurak nagy részét, ami a későbbiekben súlyos következményekkel járt...

A tatárok közeledtéről, a keleten maradt magyarok szálláshelyének felkutatására indult Julianus barát hozott először hírt. A barát részletesen beszámolt a királynak a tatárok hadviselési szokásairól, hogy tízes és százas rendben harcolnak; az elfoglalt ország királyát és főurait kíméletlenül megölik; az idegen katonákat pedig saját hadseregükben maguk előtt küldik a háborúba, de még győzelem esetén sem kegyelmeznek meg azoknak.

A király 1241-ben a Vereckei-hágó védelmét a nádorra bízta, és megparancsolta, hogy fatörzsekkel, gerendákkal és kövekkel torlaszolják el az országba vezető utakat. Az óvintézkedés azonban eredménytelennek bizonyult, mert a tatárok előőrse szétkergette a magyarokat. A megfutamított sereg követe másnap már a királyhoz kérte bebocsátását, hogy sürgős segítséget kérjen a csapat megerősítésére. De Béla nem tudta orvosolni a bajt, hiszen a gyűlölködő főurak nem támogatták, s így hadsereget sem tudott felállítani az ország védelmére. A tatárok betörését követő negyedik napon megérkezett a nádor is, aki elmondta, hogy megütközött az ellenséggel, de csatát vesztett. A király nagyon elámult a veszteségek hallatán, és azonnal megparancsolta a főuraknak, hogy száguldjanak szét az országban, és hozzá sereggel térjenek vissza. De a magyar haderő csak lassan gyarapodott. Béla király 1241 áprilisában kezdte meg a felvonulást a tatárok ellen. Szinte akadálytalanul jutottak el a Sajó folyóig, ahol tábort ütöttek Muhi mezején. Így a folyó túlsó partján ólálkodó tatár hadak pontosan tájékozódhattak a magyar sereg létszámáról és felállásáról. Batu kán amikor egy magaslatra felhágva megpillantotta ellenfelei katonai előkészületeit, így szólt embereihez:

– Bajtársaim! Jókedvvel kell lennünk, mert jóllehet azon nép száma nagy, de minthogy rosszul vezetik őket, a kezünkben vannak. Mint a birkák, nyáj módjára szűk akolba zárták magukat.

És valóban, a magyarok a király parancsára egy csoportban ütötték fel sátraikat, és ráadásul szekerekkel és pajzsokkal kerítették körbe táborukat. Április 10-én este egy orosz fogoly azzal a hírrel érkezett a királyhoz, hogy a tatárok még az éjszaka folyamán megtámadják a magyar sereget. Erre a vitézek lóra szálltak, és a támadásba lendülő ellenséget visszaszorították a Sajó túlsó partjára, majd elégedetten tértek pihenőhelyükre. Kálmán herceg és Ugrin kalocsai érsek azonban nem tért nyugovóra, mert tartottak a tatár újabb támadásától, és gyanújuk be is igazolódott. Mire fölkelt a nap a muhi síkság felett, a tatárok újra megkezdték a tábor bekerítését. Mikor az őrök riadót fújtak a magyarok táborában, a zavar a tetőfokára hágott. A tatárok nyilai elől fejveszetten menekülni kezdtek, de mozgásukat a sátortartó kötelek sűrű szövevénye annyira megnehezítette, hogy a meg-megbotló katonák végül egymást tiporták halálra. Maga Béla király is belekeveredett egy lovas csatába, de hű testőrei kimenekítették az ellenség gyűrűjéből. Így az uralkodónak sikerült elhagynia az országot, de a hadsereg nagy része odaveszett a csatában. A visszavonuló tatárok összegyűjtötték a magyarok vérétől piros ló aranyat-ezüstöt, hogy megosztozzanak rajta. Ekkor találták meg a király pecsétjét, s mivel attól tartottak, hogy a nép a vereség hallatára a hegyekbe menekül előlük, azt a cselt eszelték ki, hogy az elfogott papokkal hamis levelet íratnak, melyben a lakosságot helyben maradásra szólítják fel. Ezt az üzenetet a talált királyi pecséttel hitelesítették. Ezzel a csellel az ország lakóinak nagy része a vad tatár pusztítás áldozata lett.

Károly Róbert

Uralkodásának első szakaszában a tartományurakkal folytatott küzdelemmel volt elfoglalva. 1312-ben a rozgonyi csatában legyőzte az Amadé-fiakat, de Csák Máté hatalmát nem tudta megtörni. A tartományúri családokkal folytatott harc 1321-ben Csák Máté halálával véget ért, és a király megóvta az állam egységét. A központi hatalom megerősítése érdekében pénzügyi reformokat vezetett be. 1325-ben értékálló aranyforint kiadását rendelte el. 1327-ben az urbura bevezetésével a földesurakat nemesércbányák feltárására ösztönözte. A XIV. században fellendült az ország külkereskedelme, de a nyugat felé irányuló árukivitel Bécs árumegállító joga miatt akadozott. Ezért 1335-ben Visegrádra hívta a lengyel és a cseh királyt, egy új kereskedelmi útvonal kijelölésének ügyében. Ugyanekkor a három király a Habsburgok ellen is szövetségre lépett. Károly Róbert 1339-ben Lajos fia számára biztosította a lengyel trónt. Kisebbik fiát, Andrást pedig a nápolyi király unokájával, Johannával jegyezte el. I. Károly 1342-ben bekövetkezett halála után, fia, I. Nagy Lajos örökölte a hatalmat.

Az 1288-ban született Károly Róbert az Anjou-dinasztia nápolyi ágából származott. Leányágon rokoni kapcsolatban állt az Árpád-házzal, ezért III. András halála után trónkövetelőként lépett fel Magyarországon. 1301-ben egy alkalmi koronával királlyá koronázták Esztergomban, de a tényleges hatalom a tartományurak kezében maradt. Károly Róbert törvényesen 1310-ben lett magyar király.

ikoron 1330-ban Károly Róbert már nem Temesváron, hanem az ország szívében, Visegrádon székelt, az a hír verte fel az országot, hogy a királyi család ellen merényletet követtek el... A király hosszan tartó véres küzdelmek árán megfékezte a tartományurakat, és békét teremtett az országban. Egyedül Csák Máté, a trencséni kiskirály állt ellen hosszú ideig, dacolva a központi hatalommal. A nagy tehetségű várúr folyamatosan vívta magánháborúit az ellenséges főurakkal (főként a Németújvári családdal, akiket Kőszegieknek is neveztek), pusztítva birtokaikat, elrabolva jobbágyaikat. Károly Róbert békülési szándékkal nádorrá, majd tárnokmesterré nevezte ki, de Máté úr, ki azt tartotta, hogy „A magam földjén én vagyok az isten!", a királyi kegy dacára nem adta vissza a kezén lévő birtokokat, és saját tartományában uralkodói jogokat gyakorolt. 1310-ben nem jelent meg a koronázáson, majd egy évvel később fegyverrel támadt ura ellen. 1312-ben az Aba nemzetség hatalmának megtörésére a király hadsereget küldött, és Csák Máté az Abák oldalán avatkozott a harcba. A rozgonyi csatában a tartományurak vereséget szenvedtek, de a király a trencséni birtokokat csak a nádor halála után tudta megszerezni. Lassan-lassan a többi legyőzött úr is elfogadta a király vezető szerepét, de azért a hamu alatt ott izzott a parázs. A legkisebb sérelemre is kardot ragadtak a behódoltatott oligarchák.

Erzsébet királyné nyugat-európai mintára fényes udvartartást vezetett, magát udvarhölgyek koszorújával vette körül, melynek legszebb virágszála Zách Klára volt, kinek apja, Felicián, korábban Csák Máté bizalmas embere volt, de később átállt a király táborába. A lány ragyogó szépsége mindenkinek feltűnt, így Kázmér lengyel hercegnek is, aki gyakran megfordult a palotában. A fiatalok ugyan szóba elegyedtek, de ennél több nem történt, mert a királyné erősen ügyelt udvarhölgyei erényére. A rossznyelvek azonban nem kímélték Zách Klára jó hírét. Addig rágalmazták, míg az intrikák apja fülébe nem jutottak.

A pletykák hallatán az öreg Felicián egyenesen a palotába vágtatott, ahol az épp ebédhez készülődő királyi családra tört. Kirántott kardjával először Károly Róbert felé sújtott, de ő hirtelen lebukott, s így a csapás csak az egyik karját érte. Azután a királynéra rontott, aki férjét akarta védelmezni, és jobb kezéről négy ujját tőből lemetszette. Arról a kézről, amely oly sok alamizsnát adott a szegényeknek, és a templomok számára drága bársonyruhákat készített.

Amikor azonban a király két kisfiát, Lajost és Andrást akarta meggyilkolni, a fiúk nevelői Felicián elébe álltak, akik a súlyos kardcsapásaitól holtan rogytak a padlóra. De még így is sikerült egy fürtöt levágnia Lajos hajából. Mindezt látva, a királyné étekfogója, János, rátámadt a merénylőre, és csákányával a földre terítette a dühöngő aggastyánt, mint valami fenevadat. A jajveszékelés hallatára az őrt álló katonák is berohantak a terembe, és kardjaikkal alaposan összekaszabolták Felicián élettelen testét. A fellázadt főúr fejét Budára küldték, kezeit és lábait pedig más városokba szállították. De csak ezután következett a király igazi megtorlása. Felicián egyetlen fiát, aki a merényletről tudomást szerezve hűséges szolgájával együtt menekülni próbált, a király darabontjai elfogták, és egy ló farkához kötözve mindkettőt kivégezték, holttestüket pedig a kutyák elé vetették. Nem sokkal később a szépséges Zách Klárát is utolérte Károly dühöngő bosszúja. Orrát és ajkait megcsonkították, és kezéről nyolc ujjat vágtak le, majd több város utcáján lóháton végighurcolták, és félholtan is arra kényszerítették, hogy e szavakat kiabálja:

– Így lakoljon, aki hűtlen a királyhoz!

Felicián idősebb lányát, Sebét lefejezték, sőt 24 országnagy jóváhagyásával Zách egész nemzetségét bűnösnek nyilvánították. Közeli rokonait halállal sújtották, s a család más tagjait vagyonelkobzással és örökös szolgasággal büntették.

A merényletet követő kivégzések és az ártatlanokat ért megaláztatások örökre sötét foltot ejtettek Károly Róbert uralkodói hírnevén.

I. Lajos király

veréséggel zárult. Dalmácia és az adriai kikötők megszerzéséért Velencével háborúzott. 1358-ban a zárai béke után Dalmácia magyar fennhatóság alá került. Lajos az állandó csatározások mellett a belügyeket sem hanyagolta el. 1351-ben országgyűlést hívott össze Budára, ahol a nemesség óhaját teljesítve megerősítette az 1222. évi Aranybullát, és bevezette az ősiség törvényét, mely a nemesi birtok sérthetetlensége mellett megtiltotta annak elidegenítését. Elősegítette a városok fejlődését, sőt 1367-ben Pécsett egyetemet is alapított. Az ő könyvtárából maradt ránk a Képes Krónika. 1370-ben III. Kázmér halála után Lajos királyt emelték a lengyel trónra, s ezzel a két ország perszonáluniót kötött egy-

I. Lajos 1326-ban született, és apja halála után, 1342-ben került a magyar királyi trónra. Uralkodását a szinte évenként megismétlődő hadjáratok jellemezték. Az 1340-es és 1350-es években már III. Kázmér lengyel király oldalán a litvánok ellen háborúzott. Nápolyi hadjáratát öccse, András meggyilkolása miatt indította meg 1347-ben. 1352-ben bevonult Dél-Itáliába, de ez a vállalkozása végül politikai

mással. Lajos idejében már igen érezhető volt a török fenyegetettség. 1377-ben a magyar uralkodó is megütközött és fényes győzelmet aratott a hírhedt török hadak felett. Nagy Lajos uralkodása alatt terjedtek el Magyarországon a lovagi szokások. Lajos király maga is mint „lovagkirály" kormányozta az országot. Élete végén lepraszerű betegségbe esett, amibe 1382-ben nagy kínok között belehalt.

örtént egyszer, hogy Károly, a csehek királya és császára gőgös levelet írt Lajos királynak, melyben azt követelte, hogy a magyar uralkodó személyesen rója le tiszteletét előtte, és értékes kincseket fizessen adóként a császári kasszába. De nem is levél volt az, hanem parancsolat, amit teljesíteni kellett...

Amikor Lajos elolvasta a levelet, nagyon búnak eresztette a fejét. Kérette főtanácsosait, s nekik is megmutatta az irományt. Lacfi András bezzeg nem esett kétségbe, sőt még örült is, mert azonnal eltervezte, hogy megleckézteti a felpöffeszkedett cseh uralkodót. Így szólt hát a királyhoz:

– Egyet se bánkódjék felséged a levélen! Menjen csak el nagy ártatlanul Toldival és néhány szolgájával a cseh király udvarába. Mi meg a magyar sereggel utána megyünk, és elfoglaljuk Prága városát. Ha már a kezünkben lesz a város, majd másképpen beszél a cseh király is, ha meg akarja tartani koronáját.

Tetszett a terv a királynak, de még az urakat is fellelkesítette. Nem is késlekedtek sokat a magyarok, hanem erősen felfegyverezték seregeiket, és Trencsénen áthaladva bevonultak Csehországba. Nemsokára Prága kapui elé érkeztek. Ekkor Lacfi félrevonta a királyt, és azt mondta neki:

– Semmit se féljen, felséges királyom, csak menjen a császár elé, és kérdezze meg tőle, hogy milyen okból fárasztott ide minket. Amíg tárgyal vele, mi elfoglaljuk fővárosát, s akkor majd meglátjuk, hogy ki parancsol Csehországban.

Megindult hát a király Toldi Miklóssal és gyér számú kíséretével, de ahogy a császár elébe értek, Lajosnak az ijedtségtől a szava is elakadt. De hát hogy is lett volna bátor, mikor ott ült előtte trónusán a császár, mellette pedig a meghódolt tizenegy király, s mögöttük rengeteg állig felfegyverzett katona őrködött ugrásra készen. Csak Toldi Miklós nem rémült meg. Vasalt csizmájával úgy nyomkodta őfelsége lábát, hogy annak a sarkából még a vér is kiserkent. Lajost azonban ez sem bírta szóra, s

csak némán állt a császár előtt, mígnem a síri csendet jajveszékelés hangja törte meg. Nem is csoda, hiszen ezalatt Lacfi seregei nem tétlenkedtek, hanem elfoglalták az egész várost. Egyszerre csak egy cseh katona rohant be a trónterembe, hogy figyelmeztesse a császárt, de annak szó nem jöhetett ki a torkán, mert Toldi a köntös ujjába rejtett buzogányával úgy tarkón vágta, hogy nyomban szörnyethalt. Hanem a második vitézt már nem tudta elnémítani, mert ő az ajtóból így kiáltott:

– Prágát bevették a magyarok!

Toldi eközben a könyökével taszigálta a királyt, hogy végre megszólaljon. Erre aztán megeredt a nyelve:

– Tárd fel okát, császár, hogy miért fárasztottál messzi országomból színed elé? – kérdezte.

De most meg a császár nem tudott már szólni az ijedtségtől. Végül mégis összeszedte magát, és mézes-mázos hangon ezt mondta Lajos királynak:

– Fiam, Lajos, tedd félre most haragodat, és üzenj a magyarjaidnak, hogy ne pusztítsák tovább országomat, s akkor örökre békességet köthetünk mi, s mind a jelen lévő királyok is.

Toldi Miklós viszont nem érte be ennyivel. Előkapta a héttollú hatalmas buzogányát, és fenyegető szavakat dörgött az uralkodók felé:

– Meghiggyétek ti ezt, tizenegy királyok! Buzogányom által vész el az, aki nem szolgálja hűségesen a magyarok királyát, Lajost!

Erre a beszédre a cseh császár és a tizenegy királyok mind felálltak, és fejet hajtottak Lajos előtt, mert igen megrettentek Miklós nagy botjától. Végül pedig a cseh császár maga mellé ültette Lajos királyt, és bőséges lakomát rendezett a magyarok tiszteletére. Azok pedig, mivel a nagy zsákmányszerzésbe elfáradtak és meg is éheztek, vígan falatozni kezdtek a fényes császári palotában. Adót ugyan nem vittek Károlynak, de annál több zsákmányt hoztak magukkal Prága büszke városából. Amikor Budára visszatértek, Lajos király még egyszer megvendégelte hűséges alattvalóit.

Hunyadi János

nyi báni címet kapott. Az 1440-es években I. Ulászló bizalmas tanácsadója lett, aki rábízta a déli határok védelmét. 1443-ban indította meg a hosszú hadjáratát, melynek fő célja Drinápoly elfoglalása volt, de a nyugati segítség elmaradása miatt csak kisebb eredményeket értek el. A kezdeti sikerek után Várnánál a pogányok serege elsöprő győzelmet aratott a magyar csapatok felett. A király meghalt, Hunyadi pedig menekülni kényszerült a csatérről. 1445-ben az országgyűlés a hét főkapitány egyikévé Hunyadit választotta, 1446-ban pedig kormányzói címet kapott. A kinevezése V. László kiskorúságának idejére szólt. 1448-ban újabb hadjáratot indított dél felé, de a rigómezei ütkö-

A legendás hírű törökverő hadvezér 1407 körül született. Családja a Havasalföldről származott. Felemelkedésüket az 1409-ben Luxemburgi Zsigmondtól kapott erdélyi vajdahunyadi birtok tette lehetővé. Hunyadi 1431-ben Zsigmond király kíséretébe lépett. Részt vett több hadjáratban, ahol bőséges tapasztalatokat szerzett a török és huszita harcmodorról. Hadi sikereiért 1439-ben szöré- zetben megint vereséget szenvedett. 1453-ban V. László foglalta el a magyar trónt, s ezzel befejeződött Hunyadi kormányzói szerepe, de továbbra is főkapitány maradt. 1456-ban II. Mehmed Magyarország ellen indult, s az egyik legerősebb déli végvárat, Nándorfehérvárat vette ostrom alá. Hunyadi a túlerővel szemben megvédte a várat, ahol pestisjárvány tört ki, melynek maga Hunyadi is áldozatul esett.

izánc bevétele után 1456-ban II. Mehmed török szultán elérkezettnek látta az időt arra, hogy maga vonuljon Magyarország leghíresebb végvára, Nándorfehérvár ellen. A furfangos szultán azt a haditervet eszelte ki, hogy egymáshoz láncolt hadigályák sokaságával özönli el a Dunát, hogy így a déli parton emelkedő vár utánpótlási vonalát teljesen elzárja...

Hunyadi serege a várral szemközti parton állomásozott, ezért a török minden lépését szemmel tarthatta. A hadvezér még nyílt csatát sem kezdeményezhetett, mert ugyan elég sokan voltak, de csak kevés tapasztalt katona akadt közöttük.

A török támadás hírére a pápa, III. Callixtus keresztes hadjáratot hirdetett. A zászlók alá azonban inkább parasztok, kézművesek, diákok és kolduló barátok gyülekeztek, akiknek a fegyverzete is igen kezdetlegesnek bizonyult. A keresztesek fő toborzója egy olasz ferences szerzetes, Kapisztrán János volt.

Mikor a vár alatt gyülekező török csapat megkezdte a támadást, a felmentő sereg sem várakozhatott tovább. Sajkákba, csónakokba, naszádokba szálltak, és megkezdték az átkelést. Maga Hunyadi egy nagyobb lovas csapattal, már jóval a vár felett áthajózott a Dunán, hogy a szedett-vedett „hadiflotta" segítségére siessen. Az ötórás küzdelemben végül a magyarok kerekedtek felül, s így megnyílt az út az ostromlott várba. Épp jókor, mert a várban harcoló védősereg már-már reményét vesztette. Most azonban a pihent katonák újult erővel láttak hozzá a szétlőtt falak megerősítéséhez. Egy héttel a dunai ütközet után a török döntő támadásra szánta el magát. Mikor a nap felkelt, szörnyű dobpergés, erős trombitaszó és harsány csatakiáltások közepette rohamra indult Nándorfehérvár ellen. A védők eleinte mindenre elszánva kaszabolták a pogányokat, de ha azok rakásra hullottak is, mindig tódultak helyükbe újabb csapatok. Hunyadi is oroszlánbátorsággal vágta maga körül a törököket, s ahol ő megjelent, nyomban fellángolt a küzdelem. Az oszmánok azonban egyre beljebb nyomultak a várban, s már több épületre kitűzték a maguk zászlaját, a bástyákról pedig igyekeztek letépni a magyarokét. Ekkor történt, hogy az egyik torony védője, Dugovics Titusz, birokra kelt az egyik török támadóval, aki a török zászlót akarta kitűzni a várfalra. Amikor a szerb vitéz látta, hogy semmiképpen sem tudja legyőzni ellenfelét, derékon ragadta, és magával rántotta a mélybe.

Végül lankadni kezdett a támadók harci kedve. Ekkor váratlanul kitárult a fellegvár kapuja, és Hunyadival az élen a magyar sereg kiűzte a janicsárokat a várból. A fővezér viszont a gyors visszavonulás mögött cselszövést sejtett. Ezért vitézeit nem engedte a falakon túlra, nehogy a szultán pihent lovassága lecsapjon rájuk. De ez esetben a keresztesek nem hallgattak a szavára, és a törökök után merészkedtek. Ekkor támadásba lendült a szultán lovassága, és elvágta a kereszteseket a vártól. Amikor helyzetük reménytelenné vált, a törökverő Hunyadi is kitört a várból, hogy a bajba jutottak segítségére siessen. Erre olyan nagy zűrzavar támadt a törökök táborában, hogy a magyarok könnyűszerrel megszerezték az őrizetlenül hagyott ágyúkat, és a pogányok ellen fordították. Az óriási kavarodásban a magyarok visszanyerték bátorságukat, és a menekülők nagy részét kardélre hányták.

Estefelé, amikor Hunyadi érezte, hogy már nem sokáig tudja tartani az ágyúkat, egy hirtelen támadt ötletből eltorlaszolta gyújtólyukaikat, hogy használhatatlanná váljanak, majd visszavonult vitézeivel a várba. A gigászi küzdelemben a pogányok csúfos vereséget szenvedtek, és még Mehmed szultán is megsebesült. Ez után a kudarc után a török hadak még az éjszaka leple alatt felszedelőzködtek, és hadi felszereléseiket hátrahagyva eltakarodtak a vár alól. A fényes győzelemnek azonban nem sokáig örülhettek a vár védői, mert néhány nap múlva kitört a pestis a táborban, s akiket a török le nem vágott, azokat most a szörnyű járvány kaszálta sűrű rendben. Alig három héttel a világraszóló diadal után magát Hunyadi Jánost is magával ragadta a fekete halál.

Mátyás király

mellé rendelték kormányzóként Szilágyi Mihályt. Mátyás azonban nem sokáig tűrte el nagybátyja gyámkodását. Előbb a török ellen küldte, hogy a távollétében kizárja a hatalomból, s amikor a mellőzött kormányzó a király ellen fordult, Világos várába záratta. Mátyás legyőzte III. Frigyes seregét, és így 1463-ban békekötésre kényszerítette. Visszaszerezte tőle a Szent Koronát, és 1464-ben Székesfehérváron törvényes keretek között királlyá koronáztatta magát. Megszervezte a híres Fekete Sereget. A töröktől visszafoglalta Jajca és Szabács várát, majd 1479-ben a kenyérmezei csatában megsemmisítette az Erdélybe betörő pogányokat. Ezekben az években szerezte meg a cseh koronát, majd 1485-ben Bécs

Hunyadi János és Szilágyi Erzsébet másodszülött fiaként született 1443-ban. Gyermekéveit a vajdahunyadi várban töltötte, ahol Szánoki Gergely és Vitéz János felügyelete alatt humanista szellemben nevelkedett. A Cillei ellen elkövetett merénylet miatt V. László kivégeztette bátyját, Hunyadi Lászlót, a fiatal Mátyást pedig magával vitte Prágába. V. László halála után 1458-ban Mátyást királlyá koronázták, de ellen vonult. Mátyás támogatta az 1476-ban feleségével, Beatrixszel érkezett humanista tudósokat, művészeket, építészeket. Elősegítette a reneszánsz művészet elterjedését Magyarországon. Európa-szerte híres volt könyvtára, a Corvina. Élete végén, törvénytelen gyermekét, Corvin Jánost akarta trónra emelni. Ezt a tervét azonban az 1490-ben bekövetkezett halála miatt már nem tudta véghez vinni.

átyás hadai 1479-ben Kenyérmezőn megsemmisítő vereséget mértek a törökök seregére. Ez a csapás annyira megrendítette a szultánt, hogy legközelebb csak 1521-ben zúdult félszázezernél nagyobb hadsereggel Magyarország földjére. Amikor Mátyás király meghallotta, hogy Szendrő környékén török sereg gyülekezik, azonnal követet küldött kedves kapitányához, Kinizsi Pálhoz, és az erdélyi vajdához, Báthori Istvánhoz. Erősen megparancsolta nekik, hogy készüljenek fel a török elleni öszszecsapásra. Mindketten jó hadvezérek lévén azonnal megerősítették a határokat, majd kémeket küldtek szét az országban, hogy puhatolják ki az ellenség szándékát. A kémek csakhamar visszatértek, és jelentést tettek arról, hogy Ali bég hatvanezer törökkel Erdély ellen támadt. Erre a hírre Báthori vajda megindította a seregét a pogányok ellen. Amikor Ali bég elérte Erdély határát, ellenállás nélkül dúlni, fosztogatni kezdett. Egészen Kenyérmező falujáig nyomult csapatával, de ott megállt, hogy leszámoljon a vajda seregével. Báthori sem váratott sokáig magára, amint megvirradt, már az ő csapata is ott állt csatarendben a török táborral szemben. Az ütközet előtt Báthori így szólt vitézeihez:

– Vitézlő társaim! A törökök veszedelmes, céltalan háborút viselnek telhetetlen császárukért és a gazdag zsákmányért. Mi bezzeg a legszentebb csatát vívjuk a hazánkért. Ezért úgy harcoljatok, hogy vagy az utolsó szálig levágjuk az ellenséget, vagy még ma mindannyian az égiek vendégei leszünk.

Ezután a vajda felállította a sereg két szárnyát, ő maga pedig középre vonult vérteseivel. Ezután a két sereg oroszlánként rohant egymásra. A folyóparton küzdő szászok nem bírták feltartóztatni a török előrenyomulását, és nagy veszedelembe kerültek a balszárny előtt harcoló székelyek is. Így aztán a vajda mindkét szárnyat visszavonta, nehogy idő előtt a török martalékává váljanak. Ekkor maga Báthori indította meg a négyszögbe állított lovasságát. De amint elindult, lova az első lépésnél elbukott vele. Ebben rossz előjelet láttak a katonák, s arra kérték a vajdát, hogy ne menjen a csatába, de ő így szólt:

– Ne féljetek az előjelektől, hanem kövessetek bátran, bajtársaim! Meglátjátok, ez a ló még ma győztesen hoz vissza!

Ezekkel a szavakkal rárontott a törökre. Ali bég látva ezt, mindjárt a vajda ellen fordította a lovát, s több helyen megsebesítette a bátor hadvezért. A túlerőben lévő török már-már felmorzsolta magyar sereget, amikor a hegytetőn megjelent Kinizsi Pál a vértesekből álló csapatával. A következő pillanatban nagy trombitaharsogással rárontott a törökre, s az első rohamban elsöpörte hátvédjüket. Kinizsi ekkor két kardot vett a kezébe, s hatalmas fegyvere elől egy oszmán sem menekülhetett. Amerre csak járt, mindent letiport, s amikor látta, hogy a hadiszerencse a magyaroknak kedvez, kétszeres bátorsággal vágta az utat az ellenség seregén át, s így kiáltozott:

– Hej Báthori, kedves barátom, bárhol vagy, felelj, ha élsz még!

– Itt vagyok, Pál, és még élek, de a testemet sok seb borítja, s már fenyeget a halál.

Kinizsi ezt a nagy csatazaj közben is meghallotta, és így felelt:

– Ha még élsz, bíznod kell bennem, mert megszabadítalak!

Ekkor aztán Kinizsi legázolta a vajda csapatát szorongató pogányokat is, és fényes győzelmet aratott. A törökök pedig a környező hegyek közé menekültek. Ezután a magyar vitézek üldözőbe vették a törököket, s az utolsó szálig levágták őket. Mikor rájuk sötétedett, visszatértek a csatamezőre, és győzelmi lakomát ültek. Testük felüdült az ételtől, a lelkük pedig az örömtől és a mézédes bortól. Mikor a bor felhevítette kedvüket, vitézi táncba fogtak. Kinizsit is táncba invitálták, de ő előbb vonakodott. Majd hirtelen a kör közepére ugrott, s fogaival felragadott a földről egy megölt hórihorgas törököt, egyetegyet pedig a hóna alá fogott, és azokkal ütemesen körbetáncolt. Így mulatoztak egész éjszaka, majd másnap a két vezér az ujjongó sereggel büszkén tért vissza Gyulafehérvárra.

Dózsa György

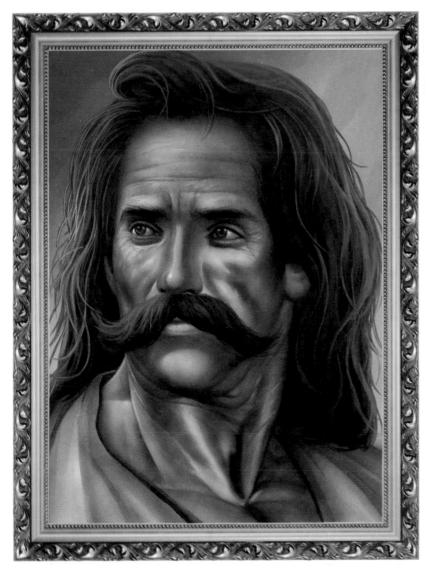

legelszántabb keresztes vezető lett. A sereg 1514 májusában indult el a török hadszíntérre. Útközben a hozzájuk csatlakozó parasztokból verbuválódott csapatok alaposan megnövelték katonai jelentőségüket. A nemesség, megrettenve a parasztság erejétől, betiltotta a toborzást és a hadjárat folytatását. Ekkor Dózsa serege az urak ellen fordult. Nagylakon karóba húzták Csáky Miklós csanádi püspököt és néhány társát, ami a parasztháború kitörésének kezdetét jelentette. Dózsa György, bár soha nem tanulta a hadvezetést, mégis sikeresen vezette seregét, és június elejére Arad, Csálya és Zádorlak várait is elfoglalta. Ezután a Báthory István által védett Temesvár ellen vonult. Egy hónapos kemény ostrom után a vár végül tarthatatlanná vált. Végül Dózsa hadának győzelmét az erdélyi vajda, Szapolyai János meglepetésszerű támadása hiúsította meg. Dózsa Györgyöt sebesülten ejtették fogságba, és Szapolyai János parancsára Temesváron szörnyű kínzások közepette, tüzes trónon kivégezték. Földi maradványait négyfelé vágták, és elrettentés céljából bitófára felfüggesztve közszemlére tették.

A székely származású Dózsa György 1470 körül született. Neve 1514-ben vált ismertté, amikor Nándorfehérváron, mint lovashadnagy, egy párviadal alkalmával legyőzött egy török főtisztet. Ezért a tettéért a király parancsnoki kinevezéssel jutalmazta a Bakócz Tamás vezette keresztes seregben. Dózsa a Pest alatt gyülekező csapatok irányítója lett. Ott lépett a táborába Lőrinc pap, aki az egyik ivel a törökök 1514-ben már Velencét is veszélyeztették, X. Leó pápa keresztes hadjáratot hirdetett ellenük. A hadjárat megszervezését Bakócz Tamás bíboros érsek vezette. A haza védelméért ez esetben a parasztok is fegyvert fogtak. Ahogy közeledett a nyári betakarítás ideje, az urak egyre kevésbé engedték jobbágyaikat hadba vonulni. Dózsa és a mintegy tízezer főt számláló hada elhagyta a pesti tábort, hogy a Tiszántúlon gyülekezőkkel egyesülve a török hadszíntérre vonuljon. A keresztesek létszáma hamarosan negyvenezerre gyarapodott, s ez már a nemességet is kétségbe ejtette. Kezdetben viszont a felkelők zöme valóban a török ellen fogott fegyvert, de május derekán Ulászló Bakócz Tamással egyetértésben betiltotta a hadjárat folytatását. Ez a végzetes hiba fordította végül a parasztok seregét uraik ellen...

A keresztes had megindult Ceglédről, és elözönlötte az egész környéket. Minden épkézláb paraszt beállott Dózsa seregébe, s mire Gyula városához értek, már óriásira duzzadt a létszámuk. Alighogy felállították táborukat, Dózsa hívatta bátor katonáját, Balogh Istvánt, és azt mondta neki:

– Hallod-e, István! Végy magadhoz kétezer vitézt, és foglald el az apáti révet, mert holnap reggel ott kelünk át a sereggel.

Többet nem kellett szólnia, mert Balogh István azonnal összegyűjtötte vitézeit, és elindult, hogy végrehajtsa a parancsot. De a parasztsereg érkezését már lesben állva várták az urak, Báthori István temesvári kapitány és Csáky Miklós csanádi püspök vezetésével. A nemesek azt hitték, hogy a kereszteseknek inukba száll a bátorságuk a jól felfegyverzett lovas katonák láttán, de ugyancsak csalódniuk kellett.

Balogh István egy percre sem bizonytalanodott el, hanem megindította a támadást. Úgy ellepték a keresztesek a Maros folyó partját, mint a megáradt vízözön, s a gyilkos küzdelem miatt a folyó habja is vértől pirosodott. Végül mégis győzött a túlerő, s az életben maradt parasztok véres fejjel menekültek a küzdelem helyszínéről.

Volt is nagy öröm a nemesek táborában, mert azt hitték, hogy ezzel a győzelemmel végképp szétkergették a keresztesek seregét. Nagy örömujjongással Nagylakra vonultak, s ott ünnepelték meg a fényes diadalt. Önfeledt mulatozással töltötték az egész éjszakát, ettek, ittak, amennyi csak beléjük fért. Bezzeg nem vigadtak a parasztok táborában!

Dózsa György amikor megtudta, hogy az urak miképpen verték szét seregét, szörnyű bosszút forralt. Az éjszaka leple alatt, néhány tiszttársával a nemesek táborához lopakodott, hogy meglesse a mulatozókat. Amikor meggyőződött róla, hogy még az őrök is olyan részegek, mint a csap, azt mondta a tiszteknek:

– Ne búsuljatok, hajnalban majd mi húzzuk el az urak nótáját!

Ígéretét be is tartotta. Hajnalhasadtakor Dózsa tizenkétezer katonával megtámadta a nagylaki várat.

Az urak bizony nem számítottak erre a támadásra, s a jó szerémi bortól még mindig pityókások voltak. Hanem gyorsan kijózanodtak, mikor meghallották a parasztok csatakiáltását. Ki-ki úgy mentette a bőrét, ahogy csak tudta. Maga Báthori István kapitány is süveg nélkül, egy szál ingben szaladt le a lépcsőn, hogy a lován Temesvárra meneküljön. Csáky Miklós gyalog próbált egérutat nyerni. Néhány katonája segítségével a Maros partjára osont, s egy halászhajón akart kereket oldani. De a parasztok útjukat állták, s a fogságba ejtett püspök urat és kísérőit Dózsa elé vezették. A parasztok királya így fogadta a püspök urat.

– Örülök jöttödnek, püspök uram! Most hát emlékezzél, hogy miképpen adott a király nekem kétszáz aranyat, amit te átadni nem akartál, és még szidalmaztál is. Pedig én teéretted és az egész országért vonultam hadba a pogány ellen. De most megfizetsz hálátlanságodért!

Meg is fizetett Csáky Miklós, mert a parasztok erősen megragadták, és karóba húzták. Így állott bosszút Dózsa György a gőgös urakon.

Szapolyai János

Szapolyai vette a kezébe. Trónigényének alapja az 1505-ös országgyűlési határozat volt, amely kimondta, hogy amennyiben II. Lajos fiú utód nélkül hal meg, a trónra csak magyar király ülhet. Ezért Szapolyai 1526 októberében országgyűlést hívott össze Tokajba, ahol a főurak királlyá választották. Ez év novemberében Szapolyai Székesfehérvárott királlyá koronáztatta magát. Erőteljes fellépése mégsem biztosította számára az egyedüli hatalmat, mert a Habsburg-párti főurak I. Ferdinándot is királylyá koronázták. Ezzel megkezdődött a több mint egy évtizedig elhúzódó háborúskodás a két király között. Végül 1538-ban Váradon békét kötöttek, és megállapodtak abban, hogy I. János

1487-ben született Szepesvárott. A kis Jánost uralkodónak szánták szülei. A kormányzói feladatokat 1510-től mint erdélyi vajda gyakorolhatta. 1526-ban a mohácsi csatában az ellentmondásos utasítások miatt nem harcolt. Így ő és nagyszámú serege sértetlen maradt, ami biztosította számára az eredményes politikai fellépést. A mohácsi csatamezőn odaveszett II. Lajos király, ezért az ország irányítását halála után a trónt Ferdinánd örökli még akkor is, ha közben Szapolyainak fia születne. De Ferdinánd beárulta a szerződést a Portán. I. János megtudta ezt, és nem tartotta be a megállapodás feltételeit. Feleségül vette Jagelló Izabellát, aki 1540-ben fiúgyermekkel ajándékozta meg férjét. Szapolyai élete végén úgy rendelkezett, hogy fia, János Zsigmond örökölje a trónját, majd 1540 júliusában elhunyt.

János király uralkodása idején állandó háborúskodás dúlt az országban. A magyar koronát ugyanis I. Ferdinánd is a magáénak tekintette, és mindketten karddal próbálták eldönteni a hatalom kérdését. A nagyurak pedig mindig ahhoz a trónkövetelőhöz pártoltak, amelyik mellett saját számításukat jobban megtalálták...

Ebben a zűrzavaros időszakban a nemesek pénzért árulták hűségüket, s csak kevés olyan főúr akadt, akit semmilyen kincsért nem lehetett megvásárolni. Ez utóbbiak közé tartozott Czibak Imre úr, aki híven kitartott János király mellett, s árulásra soha nem vetemedett. Szerették is a katonái ezért a tulajdonságáért. Annál jobban gyűlölték viszont Gritti kormányzó és tanácsadói, mert ők is jól tudták, hogy e szilárd jellemű férfit sem pénzzel, sem ígéretekkel el nem csábíthatják. No de a minden hájjal megkent tanácsadók semmilyen módszertől nem riadtak vissza.

Dóczy Lajos, a kormányzó egyik alattomos tanácsadója addig fondorkodott, míg el nem érte, hogy Gritti parancsba adja Czibak Imre elpusztítását.

Több se kellett Dóczynak! Mindjárt magához hívatta Paksi Ferencet, és azt mondta neki:

– Hallod-e, Ferenc öcsém! Szép kis summa ütné a markod, ha eltennéd Czibakot láb alól.

De Paksi így felelt:

– Én nem leszek hűtlen Magyarország népéhez, s nem szennyezem be a kezem egy becsületes ember vérével.

Meghallotta ezt a szóváltást Batthyány Orbán, aki mindig Dóczy körül sündörgött, s így szólt neki:

– Nagyuram, ha a kormányzó nekem adományozza Czibak egész birtokát s annak minden jószágát, én örömest felkerekedek kétszáz katonámmal, és láncra verve hozom el neked János király hű alattvalóját.

Ebben gyorsan megállapodtak, s másnap reggel már el is indult Batthyány a szolgáival, hogy végrehajtsa ígéretét. A gyanútlan Czibak Imre Szebentől nem messze táborozott. Egy szép nagy sátorban töltötte az éjszakát, s még fegyvereseket sem tartott maga körül, mert nem is álmodta, hogy milyen veszély fenyegeti. Csak Péter pap és néhány ifjú tartózkodott rajta kívül a sátorban.

Az árulók csapata kora hajnalban érkezett meg. Orbán úr szigorúan megparancsolta a katonáknak, hogy mukkanás nélkül vegyék körül a sátrat. Amikor ez megtörtént, Batthyány bekiáltott:

– Czibak Imre keljél fel, s most rögtön gyere velem a kormányzó úrhoz!

Czibak megébredt a durva szavak hallatán, s csak úgy mezítláb és hajadonfővel lépett a sátor bejáratához. De amint megpillantotta a fegyvereseket, mindjárt tudta, hogy gonosz szándékkal érkeztek.

Rákiáltott hát az ifjakra:

– Ébredjetek, fiaim, mert itt a veszedelem!

Felszöktek az ifjak, fegyvert ragadtak, s az akkor már ádáz küzdelmet vívó Péter pap és Czibak Imre segítségére siettek.

A nyúlszívű Orbán megijedt tőlük, hiszen nem számított ellenállásra, s hízelgő szavakkal így szólt:

– Jöjjön ki nagyságod, hitemre fogadom, nem lesz bántódása.

De Czibak nem hitt neki. Rátört a katonákra, s mint egy sebzett vadkan aprította őket. Bátran vívtak mellette az ifjak is, s kis idő múlva szétszórták a csapatot. Mikor Orbán látta, hogy szemtől szemben nem győzheti le ezeket a vitézeket, cselhez folyamodott. Életben maradt katonáival elvágatta a sátort tartó zsinegeket, s a ponyva a vívók fejére hullott. Amikor már a csapdába esett vitézek nem tudtak védekezni, halálra szurkálták őket.

De Czibak unokaöccse, Petróczy Miklós bosszút forralt a merénylők ellen. Fegyverbe szólította János király híveit, és Medgyes vára alá vonult, ahová Gritti kormányzó menekült.

Az ostromlók először ki akarták éheztetni a várost, majd ágyúval rontották falait.

Ez már nem tetszett a medgyesi polgároknak sem, feladták a várat, és kiszolgáltatták a kormányzót egész kíséretével együtt. A feldühödött vitézek mindjárt el is fogták őket, s árulásukért a város piacterén a fejüket vették.

Dobó István

három nagy erejű támadással akarta bevenni a várat. Az eredménytelen harc után az ostrom harmincnyolcadik napján a bátor egri védők országra szóló diadalt arattak. Végül a törökök visszavonultak délre. Dobót katonai sikeréért I. Ferdinánd erdélyi vajdának nevezte ki 1553-ban. 1556-ban Erdély elszakadt a Habsburgoktól, ezért Ferdinánd Dobónak ajándékozta a lévai várat és uradalmat. 1556-ban, amikor a török újabb hadjáratot indított Magyarországra, Dobó is felvonult seregével Szolimán ellen, hogy Bécset megvédje. 1569-ben I. Miksa, Ferdinánd utóda Habsburg-ellenes szervezkedés és János Zsigmonddal való öszszejátszás vádjával felvidéki földbirtokosokat vettetett börtönbe.

1502 körül született felvidéki nagybirtokos családban. Kora ifjúságától katonáskodott, több magyar főúr, köztük Török Bálint szolgálatában. 1548-tól az ország egyik legfontosabb végvárának, Egernek lett a kapitánya Mekcsey Istvánnal együtt. 1552-ben a török közeledtének a hírére megerősítette a várat, amire nagy szükség volt. A szeptemberben támadó Ahmed nagyvezér és Ali budai pasa

Köztük volt az idős Dobó István, a bányavárosi főkapitány is. Később azonban ráébredt a császár, hogy jobb lesz megbékélni az erdélyi és lengyel kapcsolatokkal is rendelkező, tekintélyes urakkal. Ezért 1572-ben, mivel a hűtlenséget nem tudta rábizonyítani, szabadon bocsátotta az akkor már betegeskedő főkapitányt. Dobó István, az egri ostrom nagy hőse, szabadulása után nem sokkal meghalt.

A királyi Magyarország és Erdély 1551-es egyesítési kísérletének megtorlásaképpen, 1552-ben a török hadjáratot indított hazánk ellen. Temesvár és Lippa bevételére Szulejmán Ahmed másodvezér készülődött. Ali budai pasát a Nógrád és Hont megyei várak elfoglalására utasították. A két seregnek Szolnoknál kellett egyesülnie, hogy közös erővel Eger ostromára induljanak. Eger elfoglalása esetén a következő állomásuk Bécs városa lett volna. Az egri védők azonban útját állták a török hódításnak...

Mikor az egyesült török sereg szeptember 10-én Eger alá érkezett, Temesváron és Szolnokon már az ellenség katonái állomásoztak. A magyar végvárrendszer északi erősségét körülbelül ezernyolcszáz katona védhette az ellenük felvonult hatvanezres sereggel szemben. A két egri várkapitány, Dobó István és Mekcsey István jól felkészült az ostromra. Megerősítették a vár falait, élelmiszert és lőport hozattak, majd az uraktól és a főpapoktól katonákat és mesterembereket kértek.

Amikor Ali pasa meglátta a várat, azt mondta:
– Ez a gyönge akol nem tartóztathatja fel a seregemet!

Az oszmánok azonnal ostromgyűrűt vontak a vár köré, s erős ágyúikkal lőni kezdték a falakat. Dobónak csak kilencven tüzére volt, de azokat Bornemissza Gergely hadnagy olyan jól kinevelte, hogy mindig célba találtak. Ám a török ágyúi sem sokat vétettek, így aztán sok rést ejtettek a vár falán. De a kapitány a réseket minden éjjel betömette.

Amikor Ali pasa látta, hogy Eger várát nem fogja egykönnyen bevenni, ígéretekkel, levelekkel akarta hódító tervét véghezvinni. Csakhogy Dobó erre az esetre is felkészült, s vitézeit szent fogadalommal megeskette, hogy a várat utolsó csepp vérükig védelmezni fogják. Ali pasa mégis megpróbálkozott a csábítgatással. Első levelében szabad elvonulást ígért a védőknek, de Dobó a küldöncöt börtönbe vetette, a levelet pedig megsemmisítette. A második üzenetet sem kímélte jobban. Egy részét elégette, a maradékot meg a postásával

etette meg. A törökök a tiszteket is megkörnyékezték. Találtak is egy árulót, Hegedűs Istvánt, aki néhány társával a vár feladására készülődött. Az összeesküvés szerencsére nem sokáig maradt titokban, s így a cselszövésük kudarcba fulladt. Az árulás lelepleződése után Dobó szigorú törvényt ült. Hegedűs hadnagyot a vár piacterén kivégezték, társait pedig füllevágással bélyegezték meg. Ezután a török újra támadásba lendült. A vár egymástól távol eső bástyáit külön-külön rohamozták, hogy megosszák a védősereg erejét. A pogány katonák védőtetők oltalma alatt próbáltak feljutni a vár falain, de az egriek vashorgokkal rántották le róluk a jókora faalkotmányokat. Ezután a támadók rőzsével és fahasábokkal töltötték fel a várárkot, hogy a töltésen át törjenek be a várba. Bornemissza hadnagy azonban ezt a kísérletüket is meghiúsította. Az ő találmánya volt a „tüzeskerék" is. Ez egy bedeszkázott kocsikerék volt, aminek az üregeit forgáccsal, kénnel, faggyúval és tüzes golyókkal töltötték meg, s mikor a szerkezetet égő kanóccal az ellenségre gördítették, azok ész nélkül menekültek a sistergő, robbanó kerekek elől.

A döntő ütközet október 12-én vette kezdetét. A törökök egyszerre támadtak minden oldalról. Ekkor már az egri asszonyok is harcoltak. Forró vizet és szurkot zúdítottak az előrenyomuló janicsárok nyakába, és a bástyákra felkapaszkodókra égő üszöggel támadtak.

– Csak még egy óráig tartsatok ki! – kiáltotta Dobó a küzdelem hevében. És valóban: a következő órában Mekcsey hadnagy feltartóztatta a janicsárok rohamát, s végül az egri védők minden oldalon visszaverték a törökök támadását. Ahmed és erősen megfogyatkozott serege október 17-én, Ali budai pasa megtépázott csapata pedig az ostrom harminckilencedik napján vonult el a vár alól.

Eger kiállta az ostromot, de a falakat úgy megrongálta az ágyúzás, hogy akár lóháton is fel lehetett kaptatni a várba. Számtalan sebesültje és háromszáznál is több halottja volt a gigászi küzdelemnek, így aztán a győzelem öröme szomorúsággal és gyásszal keveredett.

Bocskai István

1557-ben született bihari főnemesi családban. Ifjúkorában a bécsi udvarban volt apród, majd 1592-től váradi kapitányként Báthory Zsigmond mellett szolgált. 1595-ben az ő vezetésével az erdélyi és havasalföldi csapatok fényes győzelmet arattak a törökök felett. 1598 után elfordult urától és Rudolf császár politikájától is. 1602-ben tiltakozott Basta tábornok rémuralma ellen, s ezért két évig Prágá-ban tartották fogva. A csalódott Bocskai szabadulása után bihari birtokaira vonult viszsza, és érintkezésbe lépett a török földre menekült erdélyi bujdosókkal. 1604 őszén a császári csapatok főkapitánya, Belgiojoso, fegyverrel támadt bihari váraira. Ekkor maga mellé állította a hajdúkat, és Álmosdnál legyőzte a Habsburg csapatokat. Ezzel megindult a függetlenségi küzdelem. 1604 novemberében I. Ahmed szultán Erdély fejedelmének és Magyarország királyának címezte Bocskait, és 1605-ben koronát is adományozott neki, amit ő csak ajándékként fogadott el, és a királyi címet sem használta. 1605-ben a Szerencsen tartott országgyűlésen Magyarország fejedelmének választották. Később be kellett látnia, hogy minden hadjárattal, melyet a törökök segítségével folytat, a hódoltság területét növeli. Ezért 1606-ban Bécsben békét kötött a Habsburgokkal. A béke helyreállította Erdély és a Részek önállóságát. Bocskai pedig megkapta Ugocsa, Bereg és Szatmár vármegyéket. Még ez év őszén a Habsburg és a török birodalom is békét kötött a fejedelem közvetítésével, és ezután néhány hónappal Bocskai Kassán meghalt.

Amikor Bocskai kiszabadult prágai fogságából, és visszavonult birtokaira, még nem tudhatta, hogy milyen nagy veszély fenyegeti.

Néhány hónap múlva császári katonák lódobogása verte fel a Bihar vidéki csendet. Belgiojoso gróf ostromra indult Bocskai nagykereki vára ellen. Bocskai nem futamodott meg a Habsburg-hadak elől, hanem a hajdúkból sereget toborzott, és bátran szembeszállt az ellenséggel. A hajdúk foglalkozás nélkül maradt marhahajtók és földönfutóvá szegényedett kisnemesek voltak. Közülük sokan beálltak a császári seregbe, de protestáns vallásuk miatt szívesen szembe is szálltak a katolikus Habsburg-udvarral. Ezért sikerülhetett Bocskainak ezt a fegyverforgatáshoz is kiválóan értő hadinépet a maga zászlaja alá gyűjteni...

1604-et írtak, amikor Bocskai István nagykereki várát körülvette a Belgiojoso vezette német hadsereg. Az ellenség még nem szánta el magát az ostromra, de a vár ura már sejtette, hogy mire készülnek az ott táborozó katonák. Mivel nagyon szerette volna tudni, hogy mit eszeltek ki a németek, egy napon magához hívatta a várnagy leányát, és így szólt hozzá:

– Édes lányom, Hajdú Perse! Te vagy a legügyesebb és legbátrabb a fehércselédek között, menj ki hát a németek táborába, és kémleld ki, mire készülődnek!

Hajdú Perse örömmel teljesítette a parancsot, s amikor visszaérkezett, mindig érdekes és hasznos híreket hozott az ellenség szándékáról. A bátor menyecske olyan ügyesen álcázta magát, hogy a németek nem sejtettek semmit. Hanem azt mégis furcsállották, hogy Bocskai mindent tud, ami az ő táborukban zajlik. Ekkor aztán gyanakodni kezdtek az asszonyokra, akik kenyeret és sonkát árultak közöttük.

Észrevétlenül figyelni kezdték az árusokat, de legfőképpen azokat, akik Kereki várából érkeztek. Minden fehércselédre egy katona ügyelt. Perse is ott sürgött-forgott a tarka vásári tömegben, s éberen figyelt minden szóra, de ezúttal nem volt eléggé elővigyázatos, s az őt titkon vigyázó katona rájött megbízatására.

Már alkonyodott, amikor a lány hazaindult. Épp a vár kapujától néhány méterre járt, mikor visszanézett, s meglátta, hogy egy lovas katona követi. Gyorsan besurrant a kapun, és nem is ment ki rajta egy jó darabig.

Egyszer aztán Bocskai újra hívatta Persét.

– Kedves gyermekem! Eddig is nagy szolgálatot tettél a vár népének, menj ki hát még egyszer, s tudd meg, miért mozgolódik olyan erősen az ellenség.

A lány nem szólt egy szót se, hanem fölkerekedett, hogy eleget tegyen a várkapitány kérésének. Ekkor nem merészkedett túl közel, hanem megbújt a közeli dombok mögött, s onnan figyelte az eseményeket. Amikor már eleget tudott, hazafelé vette az útját. Ekkor azonban észrevették a német lovasok, és üldözni kezdték a lányt. Egy nagy folyó felé szorították, így Perse nem menekülhetett. Hát csak ment előre a víz felé, s mivel nem akart a németek kezébe kerülni, a halált választotta. Várták a lányt a magyarok, várták sokáig, de amikor látták, hogy hiába várják, illendőképpen meggyászolták. De a gyászra sem volt idejük, mert a császári hadak rövidesen megtámadták a várat. A többnapos küzdelemben végül a hajdúk kerekedtek felül, az ellenség pedig csúfosan megfutamodott. Ekkor tanácsot tartottak a hajdúk kapitányai, s arra a megállapodásra jutottak, hogy ezentúl szívvel-lélekkel Bocskait fogják szolgálni. Sőt a székelyek is a fejedelem mellé álltak, mert visszaadta nekik azokat a jogokat és kiváltságokat, melyeket korábban Báthori István elvett tőlük.

Ezalatt a császári seregek Várad felé menekültek, de még ott sem érezték magukat biztonságban, ezért Kassa felé indultak. El is értek Kassa kapujáig, de onnan egy lépéssel se tovább, mert a város polgárai nem bocsátották be a németeket, így azoknak szégyenszemre el kellett vonulniuk a város alól.

A török Porta pedig megragadta a kínálkozó lehetőséget, és maga nyújtott baráti jobbot Bocskainak, s hogy szavahihetőségéhez kétség se férjen, Erdély fejedelmévé és Magyarország királyává nevezte ki a bihari kapitányt.

Bethlen Gábor

ban a kolozsvári országgyűlés Bethlen Gábort fejedelemmé választotta, de a bécsi udvar nem ismerte el csak 1615-ben. Az új fejedelem zavaros belső gazdasági helyzetet örökölt elődjétől, melyet a merkantilista gazdaságpolitika bevezetésével stabilizált. Gyulafehérvári központjában élénk politikai és kulturális életet alakított ki. 1618-ban kirobbant a harmincéves háború, amely alkalmat adott Bethlennek arra, hogy a cseh protestáns rendekkel szövetkezve fellépjen a Habsburgok uralma ellen. 1619-ben indította meg a fegyveres támadást, és hat hét alatt elfoglalta a királyi Magyarország nagy részét. Bethlen célja az volt, hogy Erdélyt, Magyarországot és Ausztria egy részét egyesítse. 1620-ban Beszter-

1580-ban született Marossillyén. Báthory Zsigmond fejedelem udvarában nevelkedett, és részt vett a törökök elleni havasalföldi hadjáratban. 1602-ben a császáriak elől török földre menekült. Itt a bujdosók vezetője lett, s az önálló erdélyi fejedelemség megteremtése végett tárgyalásokat folytatott Bocskaival, hogy megnyerje őt a Habsburgok elleni felkelés ügyének. 1607-től Báthory Gábor fejedelem bizalmas tanácsadója lett. 1613-

cebányán királlyá választották, melyről 1622-ben a nikolsburgi békében lemondott, de ennek fejében hét felső-magyarországi vármegyével gazdagította a fejedelemséget. Még kétszer, 1623-ban és 1626-ban tett kísérletet terve megvalósítására, de komoly eredményt már nem ért el. Élete utolsó évében a lengyel trónt próbálta megszerezni, de az 1629-ben bekövetkezett halála miatt ez az álma már nem teljesülhetett.

ethlen Gábor fejedelem elődje politikáját folytatva, a Habsburg-uralom ellen fordult. 1619-ben szövetkezett a cseh protestáns rendekkel, s a királyi Magyarország elfoglalására indult. A kezdeti eredmények után azonban Bécs alól vissza kellett vonulnia. De azt a tervét, hogy Erdélyt és a királyi Magyarországot egyesítse, még a csehek 1621-ben bekövetkezett fehérhegyi veresége után sem adta fel. Tovább folytatta a fegyveres harcot, s csak akkor kezdett tárgyalásokat II. Ferdinánddal, amikor belátta, hogy Erdély egyedül nem tudja legyőzni a többszörös haderővel rendelkező császári csapatokat. Amikor a csehek megelégelték Ferdinánd császár igazságtalan kormányzását és a protestáns vallás kegyetlen üldözését, felkeltek ellene. De őfelsége sem tétovázott sokáig. Mindjárt haddal támadt az elégedetlenkedőkre, hogy rendreutasítsa őket...

A cseh felkelők jól tudták, hogy egymagukban elvesznek a császár seregével szemben, ezért Bethlen Gáborhoz, Erdély fejedelméhez fordultak segítségért. Neki sem kellett kétszer üzenni, készen állott erős, jól szervezett seregével, hogy a csehek oldalára álljon. Előbb azonban levelezni, üzengetni kezdett, nehogy magára haragítsa az ország valamely nagy hatalmú szomszédját. A török hamar beleegyezett az udvar elleni hadjáratba, hisz ez az ő malmukra is hajtotta a vizet. Viszont a császár hívei már keményebb diónak bizonyultak. De Bethlen jól tudta, hogyan lehet szót érteni velük. Megüzente hát Dóczy Andrásnak, Felső-Magyarország főkapitányának, a császár hű alattvalójának, hogy hadat vezet a cseh felkelők ellen. Dóczy uram nagyon megörült ennek a hírnek, s azonnal küldött több hordó lőport a fejedelmi udvarba, hogy legyen mivel lövöldözni az áruló csehekre.

Így aztán Bethlen furfangos diplomáciai lépéseivel a legtöbb felső-magyarországi urat rávette arra, hogy az ő seregéhez csatlakozzon. Rákóczi György már meg sem várta a fejedelem hadait, hanem saját seregével vonult Kassa városába, s azt ostrom nélkül elfoglalta. A felvidéki városok és várak harc nélkül a felkelők kezébe kerültek, de Pozsonyt még be kellett venni. Bethlen Gábor Nagyszombat felé vonult seregével, majd Szencen letáborozott. Éppen vacsorához készülődtek, amikor a fejedelem hadnagya jelentette, hogy sürgős levél érkezett Pozsonyból. A kétségbeesett polgárok ezt írták Bethlen Gábornak:

„A Dunán kétezer császári katona és három ágyú érkezett Pozsonyhoz, és a parancsnok, Tieffenbach Rudolf bebocsátást kért. A város polgársága nem bocsátotta be a katonaságot Pozsonyba, ezért a császáriak a Duna partján elsáncolták magukat, éppen most tértek nyugovóra. De még estére sem lohadt a harci kedvük, igen köpik a markukat, hányják-vetik jó legénységüket, mindegyik tíz magyart akar levágni."

A levelet elolvasván haditanácsot tartott a fejedelem, és megkérdezte a tisztektől:

– Azonnal induljunk-e a németek ellen, vagy várjunk holnapig?

A tisztek elkezdtek okoskodni, az egyik azt mondta, hogy ilyen esőben nem jó támadni, a másik a katonák fáradtságát emlegette, a harmadik meg a felázott utakat kifogásolta. De hiszen beszélhettek Bethlennek, ő már elhatározta magában, hogy rögtön indulni kell.

A tanácskozás végeztével kijelentette:

– Nem jó a németekkel késlekedni, mert csak jobban beássák magukat. Ezért induljatok, s készítsétek fel hadaitokat, mert most mindjárt útra kelünk.

Pirkadatkor érkeztek a város alá, és mindjárt rárontottak a németekre. Maga Bethlen Gábor fejedelem is kivont karddal vágtatott előre, s így aprította bőszen az ellenséget. A császáriak nagyon megzavarodtak a váratlan támadás miatt, de aztán mégis magukra találtak, és erősen tüzelni kezdtek támadóikra. Többórás kemény küzdelem után a felkelők serege végre elfoglalta a sáncokat. Az ekkor már mindinkább a bőrüket mentő németeket üldözőbe vették a magyar vitézek, s akit utolértek, azt gyorsan a másvilágra küldték. Így aztán Pozsony városa szerencsésen megmenekült a császári seregek garázdálkodásától.

Zrínyi Miklós

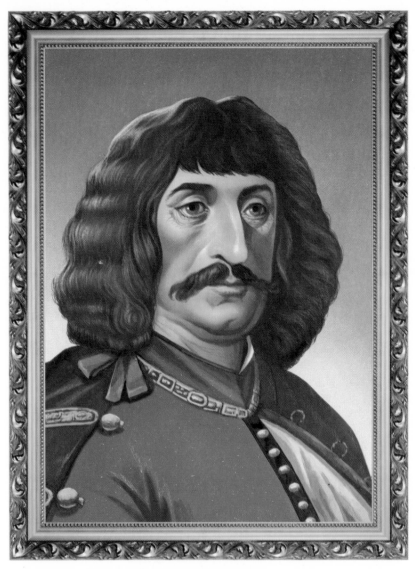

ményesebben lépjen fel a Muraköz védelmében. 1663-ban Ahmed nagyvezér sereggel indult Buda ellen. I. Lipót, megijedve a török támadásától, Zrínyit nevezte ki a magyar hadsereg főparancsnokának. 1664 februárjában fölégette az eszéki hidat, a török utánpótlás legfontosabb útvonalát. A téli hadjárat célja Kanizsa felszabadítása volt. I. Lipót, mivel politikai ellenfelet látott Zrínyiben, visszavonta kinevezését, és Montecuccolit tette meg fővezérnek. Ezalatt a törökök újjáépítették a megrongált hidat, és Küprülü vezetésével szétszórták a magyar sereget. Ez év júniusában Új-Zrínyivár is elveszett. Egy hónappal később a Habsburg vezetés Vasváron békét kötött az ellenséggel. Zrínyi Miklós, aki

1620-ban született, horvát eredetű katolikus főúri családban. Szülei halála után neveltetését Pázmány Péter irányította. Előbb a grazi jezsuita kollégiumban, majd Bécsben és Nagyszombaton pallérozta tudását. Itáliai tanulmányútjáról hazatérve, birtokai védelmében a török ellen fordult. 1647-ben horvát báni címet kapott. 1661-ben az udvar tiltakozása ellenére megépítette Új-Zrínyivárát, hogy még ered-

1664-ben Csáktornyán egy vadászat közben életét vesztette, nemcsak karddal, de tollal is jelentős erőfeszítéseket tett Magyarország felemelkedéséért. A Szigeti veszedelem című eposzában a török elleni küzdelemben hősi halált halt dédapjának állított emléket. Hadtudományi munkái: Tábori kis tracta, Vitéz hadnagy. Prózai művei: Az török áfium ellen való orvosság, Mátyás király életéről való elmélkedések.

Zrínyi Miklós, e nagy formátumú hadvezér, író és politikus megdöbbentő körülmények között lelte halálát. 1664. november 18-án a Csáktornya melletti kursaneci erdőben egy megsebesített vadkan végzett vele. A tragédia sorsdöntő pillanatban következett be, hiszen a XVII. század második felében kialakult bonyolult politikai helyzet az egész magyar nemzetet beláthatatlan kimenetelű eseményekbe sodorta. Ebben az időszakban Zrínyi volt az az államférfi, aki nagy eséllyel vállalkozhatott volna az elkövetkező bonyodalmak megoldására...

1664 őszén a Habsburg uralkodó Bécsbe rendelte Zrínyit. Bethlen Miklós, akit erősen aggasztott Zrínyi meghívása, felkereste barátját Csáktornyán. A baráti látogatás során Bethlen nem titkolta azt a szándékát, hogy le akarja beszélni Zrínyit a bécsi tanácskozásról. De ezúttal nem érte el a célját, mert barátja már elhatározta magában, hogy fölmegy a császári udvarba, és megmondja őfelségének, hogy ő bizony nem javallja a békekötést a törökkel.

Bethlen beletörődött barátja elhatározásába, de mivel igen kellemesen szórakozott, szívesen időzött nála. Csáktornya környéke ugyanis bővelkedett vadakban, s legfőképpen sok vaddisznó volt azon a vidéken. Így Zrínyi vendégei azokat pusztította előszeretettel. Az előkelő társaságban ott volt Guzics kapitány, az öccse, egy Majláni nevű olasz gavallér és több inas meg vadász.

Zrínyi Miklós kiváló házigazda volt, mert vendégeit nemcsak étellel-itallal tartotta jól, de szellemi táplálékban sem szenvedtek hiányt. Szegény Zrínyi nem gondolhatta, hogy a halála előtt három órával elmondott fabulája élete utolsó története lesz.

A történet így szólt:

– Egyszer egy embert az ördögök a hátukra vettek, s vele a pokol kapuja felé tartottak, amikor találkozott egy barátjával, s azt kérdezte tőle:

„Hova mégy, kenyeres?"

„Nem megyek, hanem visznek" – mondta az.

„Na és hova visznek?"

„A pokolba" – felelték az ördögök.

„Jaj, szegény ember, látom, rosszul vagy, ennél rosszabbul nem is lehetnél."

De az ember így felelt:

„Rosszul bizony, de még ennél rosszabbul is lehetnék."

Emez álmélkodva kérdezte:

„Hogy lehetnél rosszabbul, hiszen a pokol mindennél rosszabb."

Az ember azt válaszolta nagy bölcsen:

„Úgy vagyon az, de hátha engem nyergelnének meg s magukat is velem vitetnék, úgy még rosszabbul lennék."

– Alkalmazd ezt a fabulát Erdélyre és a törökre meg a németre – mondta Zrínyi.

A nap lassan nyugodni tért, s a vadászok is kiseregettek a hintóhoz. Már éppen indultak volna, amikor Paka, Zrínyi egyik vadásza odalépett urához, s azt mondta neki:

– Uram, az előbb megsebesítettünk egy kant, míg a többiek készülődnek, a nyomába eredhetnénk.

Zrínyi mindjárt fogta a puskáját, felpattant a lóra, s a vaddisznó nyomába eredt. Nem sokkal később utána ment Majláni, az olasz gavallér és Guzics kapitány öccse, hogy szükség esetén kéznél legyenek.

Kis idő múlva lövés dördült az erdő csendjében, s kisvártatva feltűnt Guzics öccse, s rémülten azt kiáltotta a kapitánynak:

– Hamar hintót, oda az úr!

Gyorsan lóra kaptak az urak, hogy Zrínyi megmentésére induljanak. Közben Majláni elmondta, hogy mi is történt.

– Mikor én odaértem – kezdte nagy szomorúan –, Paka egy fa tetején jajgatott, az úr pedig hasmánt a földön feküdt, s a kan szörnyű sebeket ejtett rajta. Utolsó erőfeszítésével még felült, s egy fát adott a kezembe, hogy állítsam el vele a sebnek vérét, de hiába próbáltam, csak nem szűnt annak patakzása. Az úr lassan elgyengült, aztán lehunyta a szemét, s már többé föl sem nyitotta.

A kortársak nehezen tudták elhinni, hogy Zrínyi, aki a csatákból sértetlenül tért vissza, most egy balszerencsének esett áldozatul. Ezért még sokáig a bécsi udvar cselszövéséről suttogtak.

Thököly Imre

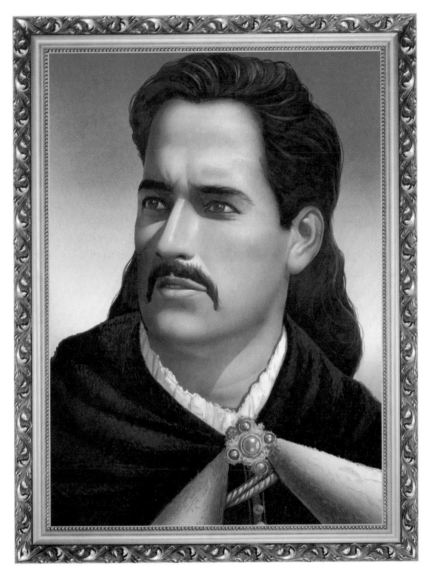

1657-ben született Késmárkon. Apja, Thököly István részt vett a Wesselényi nádor vezette összeesküvésben, amiért 1670-ben jószágvesztésre ítélték. Amikor a császáriak által ostromolt Árva várában elhunyt, Imrét kalandos körülmények között Erdélybe szöktették. 1678-ban a bujdosók vezérükké választották. Sikeres katonai akciója során seregével egészen a Garam menti bányavárosokig hatolt előre. 1682-ben feleségül vette I. Rákóczi Ferenc özvegyét, Zrínyi Ilonát, s a Rákóczi-birtokok az ő kezébe kerültek. A felkelés anyagi bázisa ezzel jelentősen megnövekedett. Még ez évben a török Bécs ellen indított hadjáratának a hírére adófizetés fejében királyi kinevezést kért és kapott a szultántól. Thököly azonban csak a Felső-Magyarország fejedelme címet vette fel. 1683-ban a Kara Musztafa vezette hódító háború kudarccal végződött. Ettől kezdve Thököly tiszavirág-életű fejedelemsége gyors hanyatlásnak indult. I. Apafi Mihály megfosztotta birtokaitól, és 1685-ben a császári csapatok kiűzték Erdélyből. Ebben az évben esett a váradi pasa fogságába, de hamar visszanyerte szabadságát, sőt tovább harcolt a törökök oldalán. 1690-ben szultáni kinevezést kapott, amely évi 10 000 forint adó fejében ráruházta az erdélyi fejedelemséget. Thököly Imre a megmaradt kuruc seregével és a zernyesti csatában szétverte a Habsburgokat, de mégsem tudta visszaállítani hatalmát. Felesége elkísérte Nikodémiába, ahová hazájából száműzték. 1705 szeptemberében itt halt meg a „kurucok királya".

íg korábban Magyarország önálló létét az oszmán hódítás veszélyeztette leginkább, addig a XVII. század végére már a Habsburgok elleni küzdelemben a törökkel vállvetve harcoltak Thököly hadai. A hanyatló török birodalom azonban nem bizonyult jó szövetségesnek. Igaz, hogy még királyi címet is adományozott a szultán Thökölynek, de mindez nem akadályozta meg Ahmed váradi pasát abban, hogy 1685 októberében börtönbe vesse a kuruckirályt. Ezzel a politikai lépéssel akarta békekötésre bírni a bécsi udvart a Porta. Céljukat mégsem érték el, sőt Thököly tekintélyét végleg a sárba tiporták. Fejedelemsége szinte napok alatt széthullott, s a kuruc csapatok tömegesen átálltak a császári hadsereg szolgálatába. A szultán hamarosan rájött, hogy mekkora hibát követett el; s tíznapi fogság után gazdag jóvátételt adva és hathatós támogatást ígérve szabadon bocsátotta Thökölyt...

Amikor a törökök csillaga már hanyatlott Magyarországon, a basák, a vezérek és bégek mind egymást hibáztatták a sok sikertelen hadjáratért és vereségért. S amikor nem egymásra acsarkodtak, akkor a magyar szövetséges, Thököly Imrét és kuruc seregét kezdték el vádolni, hogy ők okoztak minden bajt. Ekkor eszelte ki a budai pasa, hogy el kell fogatni a kuruckirályt, hátha ekkor békülékenyebbek lesznek a németek. Üzent is gyorsan a váradi basának, hogy hívja meg vendégségbe Thököly Imrét, s vesse tömlöcbe. Így is történt. A kuruckirály sejtette ugyan, hogy semmi jóra nem számíthat a török udvarában, de nem volt mit tenni, elment, tisztelgett a basánál, ahogy illett.

A basa pedig jól tartotta a vendéget, minden földi jóval kínálgatta, s kedves szavakkal hízelgett neki. Amikor már eleget ettek-ittak, s Thököly már éppen búcsúzni készült, a basa hirtelen fölemelte a hangját, s így kiáltott:

– Hátravan még a feketeleves!

De ez a mondat már nem a fejedelemnek, hanem a janicsár agának szólt, aki ugrásra készen állt az ajtóban, s csak a jelszóra várt.

Amikor meghallotta, néhány janicsárral berohant a terembe, s a megrémült Thökölyt jó erősen megkötözte, s a tömlöc fenekére vetette. A fogoly nem sokkal később visszanyerte szabadságát, mégis az ő esete intő példa maradt a kortársak és az utókor számára is.

De a német sem bánt kesztyűs kézzel a magyar vitézekkel, még akkor sem, ha az ő zászlójuk alatt vonultak a harctérre.

Mikor a török félhold lehanyatlóban volt Magyarországon, s Thököly fejedelemsége is széthullott, sok magyar vitéz hagyta el a felkelők táborát. Egymás után szöktek át a legvitézebb kapitányok a császári seregbe, hogy részt vegyenek a budai vár visszafoglalásában. Így lett a hajdúk hadvezére Petneházy Dávid is. Amikor megfújták a trombitákat, s az egész ostromló haderő az utolsó rohamra indult, Petneházy a hajdúk élén a legelsők között rohant az ellenségre. Mindenkit megelőzve hágott fel a vár falán, s nemsokára már a városban aprította a törököket, akik 1686-ig birtokolták Budát.

A német tábornokok, akik messziről nézték az elkeseredett küzdelmet, maguk is meglepődtek a kapitány halálmegvető bátorságán. Mondogatták is egymás között:

– Ez a Petneházy nem is ember, hanem oroszlán.

– Úgy bizony, ő a magyar oroszlán.

De mivel vitézségével igen nagy feltűnést keltett, irigykedni kezdtek rá a németek. S akkor gyűlölték meg igazán, amikor a császár grófi címet adományozott neki, mert igen sok törököt levágott a küzdelemben.

Ekkor aztán nagy lakomát csaptak Petneházy tiszteletére, ám az ő ételét-italát az alattomos császári tisztek méreggel fűszerezték meg.

Petneházy ahogy érezni kezdte a méreg hatását, fölállt az asztaltól, paripára ült, s kínjában addig vágtatott a mezőn, míg a méreg végzett vele.

A magyar vitéz szomorú halálát hallva Cserei Mihály ilyen tanácsot adott intésként minden honfitársának:

„Ha magyar vagy, és sokáig élni akarsz, okos légy, vitéz ne légy, s pénzed se legyen sok."

II. Rákóczi Ferenc

I. Rákóczi Ferenc és Zrínyi Ilona gyermekeként született 1676-ban. Munkács ostromát édesanyja mellett élte át, majd a vár feladása után a kis Ferencet Bécsbe vitették, s ott jezsuita szellemben nevelték. Mindenekelőtt az udvar iránti hűséget próbálták belesulykolni. Húszéves korában feleségével Magyarországon telepedett le, és Sáros megye főispánja lett. Rákóczi az 1697-es hegyaljai felkelést követő véres megtorlás láttán cselekvésre szánta el magát. Bercsényi Miklós segítségével a nemesség köreiben szervezkedni kezdett, és XIV. Lajos francia királyhoz levélben fordult segítségért. Mikor a levélváltás kitudódott, Rákóczit a bécsújhelyi börtönbe zárták, ahonnan Lengyelországba szökött. Itt keresték fel 1703-ban a tiszaháti parasztok, hogy fölkérjék a Habsburg-ellenes felkelés irányítására. Rákóczi a szabadságharc élére állt, és a jobbára parasztokból álló seregével néhány hét alatt elfoglalta a Tiszántúlt. 1704-ben Gyulafehérvárott Erdély fejedelmévé választották, majd 1705-ben a szécsényi országgyűlésen a magyar rendek vezérlő fejedelemmé kiáltották ki. Rákóczi a szabadságharc sikeres folytatásához maga próbált külföldi szövetségeseket keresni. 1711-ben, amikor I. Péter cárhoz utazott, hogy tőle segítséget kérjen, Károlyi Sándor megkötötte a szatmári békét, ami a szabadságküzdelem végét jelentette. Rákóczi nem ismerte el a szégyenletes békeszerződés pontjait, inkább száműzetésbe vonult. Néhány főből álló kíséretével Rodostóban élt 1735-ben bekövetkezett haláláig.

A Bécsben hozott törvénytelen intézkedések egyaránt sújtották a magyar nemességet és a jobbágyságot. A nemesség előjogai megsértése miatt háborodott fel, a parasztok pedig a már-már elviselhetetlenné váló terhek miatt fordultak szembe a Habsburg udvarral. Ezek az okok nagyban hozzájárultak a Rákóczi-szabadságharc kirobbanásához...

II. Rákóczi Ferencet Munkács várából, édesanyja mellől hurcolták el a bécsi udvarba, ahol különös gondot fordítottak neveltetésére. Anyját többet nem láthatta, s mire felnőttként hazakerült, már a bécsi divat szerint öltözködött, feleségével franciául társalgott, és német kísérettel vette körül magát. A környékbeli nemesek azt mondogatták, hogy még magyarul is elfelejtett.

Bercsényi Miklós volt az a nemes, aki nem adott sokat a szóbeszédre, s egy őszi napon felkereste szomszédját. Amikor beszédbe elegyedett vele, már tudta, hogy Rákóczin csak a ruha idegen, de a németes küllem alatt igazi magyar szív dobog.

A két főúr hamar összebarátkozott. Egyre többet járták együtt az erdőt, s a hosszú kilovaglások alkalmával az ország dolgairól beszélgettek.

Bercsényi jól ismerte a magyar nemesség sérelmeit, hisz ő is a saját bőrén tapasztalta az igazságtalanságokat.

– A király nem tart országgyűlést, rendeletekkel igazgatja az országot – háborodott fel Bercsényi. – A generálisok és hadseregszállítók egyre gyarapodnak, a nemesember meg romlik, szegényedik. A jobbágyait meg tönkreteszi a porció, a falvak elnéptelenednek, s még apái vallásából is kiforgatják szegény ördögöket.

Rákóczi szomorúan hallgatta, hogy hazája törvényeit lábbal tiporják a bécsiek, majd így szólt barátjához:

– Sem panasz, sem könyörgés nem indítja meg az udvart. Csak az iga lerázásával menthetjük meg Magyarországot.

Ezután levelet írt XIV. Lajos francia királynak, melyben felvázolta az ország helyzetét, és anyagi támogatást kért tervei megvalósításához. A levelet egy francia születésű császári tiszt, Longueval kezébe adta. Rákóczi megbízott benne, de rosszul tette, mert Loungeval egyenesen Bécsbe ment, s a császár elé vitte az írást.

II. Rákóczi Ferencet rövidesen felkeresték a császár fogdmegjei, s beteg felesége mellől egyenesen a bécsújhelyi börtönbe hurcolták. A vádirat szerint felségárulás bűnébe esett, s ezért halálra ítélték.

Rákóczi börtönének parancsnoka Lehmann kapitány volt, aki gondjaiba vette a magyar főurat. Megengedte, hogy felesége titkon meglátogassa, parasztmenyecskének öltözve. Később rájött, hogyha ő nem segít az előkelő rabon, az bizony vérpadon végzi.

Ezért egy novemberi napon, ahogy besötétedett, Lehmann kapitány elküldte az őrt Rákóczi szobája elől faggyúgyertyáért. Mire az őr visszatért, a vár parancsnoka épp arra csörtetett, s benyitott a kapitány szállására. A szoba sarkában spanyolfal állt, mely mögül elfojtott suttogás hallatszott. A kapitány hirtelen elfújta a mécsest, és teljes sötétség borult a szobára. Lehmann kapitány azt ajánlotta a parancsnoknak, hogy nézzék meg a rabokat. Ő gyanútlanul bele is egyezett az éjszakai sétába, mert azt hitte, hogy valami találkát zavart meg. Amikor a parancsnok nyugovóra tért, a kapitány visszasietett a szobájába, s a spanyolfal mögött várakozó öccsével s egy nagy fekete bajuszú dragonyossal – kinek a vállán egy nehéz zsák volt átvetve –, megindult a kongó folyosókon át a várbörtön kijárata felé. Az őröknek, akik épp akkor gyújtogatták a fáklyákat, nem tűnt fel semmi, s a dragonyos nyugodt léptekkel kisétált a kapun a terhével. Ott felült a rá várakozó lóra, s nem sokkal később már a város kapujánál ügetett, ahol az őrök éppen nekigyürkőztek, hogy éjszakára leeresszék a sorompót. Éppen akkor ért oda az önfeledten dúdoló dragonyos, s mert azt gondolták, hogy egy kicsit felöntött a garatra, kiengedték a kapun. Amikor biztonságos távolságra értek a várostól, Rákóczi kibújt a zsákból, gyorsan megkereste a vadaskertben várakozó apródját, s útra keltek Lengyelország felé.

Mária Terézia

nővé koronázták, és ekkor nyerte meg szövetségeseinek a magyar rendeket. Így sikerült elkerülni a vereséget, de Szilézia így is porosz fennhatóság alá került. Később az 1756-ban kezdődött hétéves háborúban megkísérelte visszaszerezni az elveszített tartományt, de nem járt sikerrel. Mária Terézia azon kevés Habsburg uralkodók egyike volt, akit a történelmi emlékezet a nemzeti királynő tulajdonságaival ruházott fel. Korszerűsítette a közigazgatást, a hadsereget, 1777-ben rendezte az iskolaügyet. Az urbárium bevezetésével pedig a földesúri szolgáltatások terhét szabályozta. Az 1755-ben életbe léptetett vámrendelettel viszont az ország gazdaságpolitikáját évekre visszavetette. Férjét, Lotha-

1717-ben született Bécsben. Apja VI. (III.) Károly császár és magyar király fiú utóda nem lévén, a nőági örökösödést, a Pragmatica Sanctiót próbálta elfogadtatni az ország rendjeivel és a külföldi uralkodókkal. Ám a fiatal királynőt már trónralépése kezdetén, 1840-ben Károly Albert trónbitorlónak nyilvánította, és megindította a harcot Ausztria felosztásáért. Az ifjú királynőt 1841-ben Pozsonyban magyar király-

ringiai Ferencet, akit igaz szerelemmel szeretett, 16 gyermekkel ajándékozta meg. Hitvese halála után vette maga mellé társuralkodónak fiát, a későbbi II. Józsefet. A fiatal trónörökös fogékonyabb volt az egyre inkább tért hódító fölvilágosodás eszméire, ezért anyjával nemegyszer komoly összetűzésbe került. A királynő 1780-ban, 63 évesen halt meg, fiára hagyva a Habsburg birodalom irányításának feladatait.

Mária Terézia, csakúgy mint elődei, Isten kegyelméből való uralkodónak tartotta magát. A királynőt 1741. június 25-én koronázták meg Pozsonyban. Nem sokkal később, szeptember 11-én hangzott el magyar rendek szájából az azóta híressé vált felkiáltás: „Életünket és vérünket!" A magyar királynő az ország nemesei elé állva, könnyes szemmel olvasta fel a Habsburg-birodalom segélykiáltását, s a hatás nem maradt el. A magyarok lelkes felkiáltással ajánlották fel közreműködésüket a trón megmentése érdekében...

Mária Terézia trónra lépését követően szinte azonnal megindult a küzdelem a Habsburg-állam feldarabolásáért. Május végén Bajorország, Franciaország és Spanyolország titkos megállapodást kötött Nymphenburgban. Június 4-én pedig Poroszország lépett szövetségre a franciákkal. Mindannyian az osztrák birodalom ellen szervezkedtek, de erről még mit sem tudott a Habsburg királynő, amikor június 19-én Pozsonyba indult a magyar királyi koronázásra. Bár ekkor az osztrák seregek már túlestek egy vereségen Mollwitznál, s a sziléziai állások nagy része az ellenség kezére került, de ezt nem vették túl komolyan. Egyébként is ez év márciusában született meg a fiúörökös, s az e feletti határtalan öröm feledtette a katonai kudarcot. S az udvar ekkor még egy erős szövetségi rendszerben bízott, mely megsegíti őket a poroszokkal szemben.

Június 25-én fényes külsőségek között zajlott Mária Terézia megkoronázása. Egy londoni követ, Robinson így írt a jeles eseményről: „A koronázás nagyszerű volt, a királynő maga a megtestesült báj. Az ősi korona Mária Terézia fején új fényt kapott, s Szent István régi, kopott palástja pont olyan jól mutatott rajta, mint saját, gyémántokkal, gyöngyökkel és más drágakövekkel ékesített ruhája."

De az ünnepség után már nem lehetett figyelmen kívül hagyni a Habsburg birodalmat fenyegető veszélyeket. Az ellenség vészjósló csapatösszevonásokat hajtott végre, és három oldalról indította meg az általános támadást.

Amikor az első vészhírek megérkeztek Pozsonyba, a miniszterek halálsápadtan dőltek hátra székükben, csak a királynő nem esett kétségbe. A környezete szerint ez tájékozatlanságának volt köszönhető. Megpróbálták rábeszélni a tárgyalásokra, de ő hajthatatlan maradt. Ekkor a férjéhez fordultak, hogy rajta keresztül bírják jobb belátásra. Robinson követ, amikor tudomást szerzett a titkos szerződések tartalmáról, kihallgatást kért Lotharingiai Ferenctől. A tárgyalás közepette váratlanul a terembe lépett Mária Terézia. Erre a követ – aki már korábban az ifjú királynő szépségének a rabja lett – és a férj, most együtt győzködték a makacs uralkodónőt, ő azonban hevesen visszautasította a beavatkozás politikáját. Azonnal véget vetett a tanácskozásnak, s az angol államférfit, aki az idősebb jogán állandóan a tanácsaival traktálta a királynőt, egy ideig látni sem akarta.

A királynő ellenzékének végül mégis sikerült elérnie, hogy a túlbuzgó angol követ segítségével béketárgyalások kezdődjenek. A fegyverszünet fejében egész Alsó-Sziléziát odaadták volna a poroszoknak. De a felajánlással elkéstek, mert a porosz király ekkor már sokkal gazdagabb zsákmányról álmodozott.

Ezek az előzmények vezettek oda, hogy Mária Terézia a birodalom egyetlen még békés országához fordult segítségért. A tanácsadók természetesen ezúttal is aggályoskodtak, de a királynő mégis kiállt a magyar rendek elé az országgyűlésen, és megindító beszédével sikerült „életük és vérük" felajánlására bírni a nemeseket.

Az udvar nehéz helyzete ezzel mégsem oldódott meg, mert a hadseregállításhoz idő kellett. Károly Albert pedig szeptember 15-én már behódoltatta egész Felső-Ausztriát, és Linzben parádézott.

De a bajor választófejedelemnek ez nem volt elég, Bécs ostromára készült, mert a királynő nem rendelkezett jelentős haderővel. Erre mégsem került sor, mert míg a bajor uralkodó Linzben időzött, a város főparancsnokának kinevezett Khevenhüller gróf emberfeletti erőfeszítések árán megszervezte Bécs védelmét.

Széchenyi István

ra, hogy nemzete elmaradottsága ellen neki is küzdenie kell. 1825-ben az első reformországgyűlésen a fiatal Széchenyi, birtokainak egyévi jövedelmét felajánlotta a Magyar Tudományos Akadémia megalapítására. 1830-ban megírta a Hitelt, a korszak első nagyszabású társadalmi-gazdasági reformprogramját. 1831-ben a Világ című művét, majd 1833-ban a Stádiumot vetette papírra. Ezekben a munkákban javasolta az ősiség eltörlését, a nem nemesek szabad földhöz jutását és a törvény előtti egyenlőséget. Széchenyi nevéhez kötődik az Al-Duna szabályozása, a dunai és balatoni gőzhajózás megindítása és a Lánchíd építése. Kossuthtal való nézeteltérése kapcsán megírta a Kelet Népe című vitairatát. 1848-ban a Batthyány-kormányban még közlekedés- és közmunkaügyi miniszterként tevékenykedett, de a fegyveres összecsapás előestéjén idegrendszere összeomlott. A döblingi ideggyógyintézetbe került, ahol 1859-ben megírta az Egy pillantás a névtelen „Visszapillantás"-ra című röpiratát, melyben a Bach-rendszert bírálta. 1860 tavaszán önkezével vetett véget életének a „legnagyobb magyar".

1791-ben született Bécsben. Szülei Széchényi Ferenc és Festetich Júlia voltak. Széchenyi szinte gyermekfejjel 1808-ban a katonai hivatást választotta. Huszártisztként részt vett a Napóleon elleni háborúkban. 1882-ben Wesselényi Miklóssal indult angliai útjára, ahol a lóállomány tanulmányozása mellett figyelemmel kísérte az ország gazdaságát és politikai életét is. Ekkor vált világossá Széchenyi számá-

Széchenyi István fontos szerepet játszott a magyar függetlenségi mozgalom megindításában. A Batthyány-kormányban még aktívan részt vett, de később, amikor a bécsi udvar és Magyarország között egyre ellenségesebbé vált a viszony, az ekkor már reménytelennek tűnő béke megteremtésén dolgozott. Eközben az egyébként is gyenge idegrendszerű államférfi önmagát hibáztatta az események ilyetén alakulása miatt. Állapota akkor vált igazán súlyossá, amikor a Jellasiccsal való összecsapást már nem lehetett békés úton elkerülni. Sokszor éjjeleket virrasztott át, s ha néhány órára lehunyta a szemét, álmában is az ország pusztulásának víziója gyötörte. Ezek után 1848 őszén vitték a döblingi elmegyógyintézetbe. Útközben kétszer kísérelt meg öngyilkosságot, de végül még tizenkét évet élt e Bécs melletti tébolydában...

A szabadságharc leverése utáni keserves évtizedben a Bach-rendszer titkosrendőrsége hamarosan újult erővel látott munkához. Buzgón bontogatták a belföldi leveleket, s még inkább azt próbálták kinyomozni, hogy a magyar hazafiaknak milyen külföldi összeköttetéseik vannak. Így került a figyelem középpontjába a döblingi szanatórium lakója, aki szoros kapcsolatot tartott fenn a külvilággal. Széchenyi a császári kormányt kegyetlenül bíráló, névtelen írásokat juttatott ki titkos utakon nyugatra. Így került napvilágra egy egész könyvnek a kézirata, melyben egy a Bach-kormány áldásos magyarországi működését magasztaló írásra válaszolt maró gúnnyal. Az említett kézirat címe: Egy pillantás a névtelen „Visszapillantásra". (Ein Blick auf den anonymen „Rückblick")

Ebben a művében Széchenyi lerántotta a leplet az önmaga előtt tetszelgő rendszerről. Munkája Londonban jelent meg, s innen csempészték be a Habsburg-birodalomba. Még Ferenc Józsefhez is eljutott egy példány belőle. Állítólag e könyv tartalmának is szerepe volt abban, hogy a nagy hatalmú belügyminisztert, Bachot rövidesen menesztették. Csakhogy Széchenyi a következő kormányt sem kímélte jobban. A császári udvar törvénytelenségeit feltáró cikkei az akkori világ legtekintélyesebb lapjában, a londoni Timesban jelentek meg. De a publicisztikai munkája mellett személyes leveleket is írt Nyugat-Európa jeles politikai személyiségeinek. Így III. Napóleon, majd Palmerston angol miniszterelnök közbenjárását kérte Magyarország ügyében. A bécsi rendőrségnek minderről csak sejtései voltak, de ez is elegendőnek bizonyult ahhoz, hogy 1860. március 3-án házkutatást tartsanak döblingi lakosztályában. A megtört politikus minden iratát végigvizsgálták, s nagy részét elkobozták.

A tüzetes felforgatás azonban nem járt sikerrel, mert a Blicket nem találták meg Széchenyi Istvánnál. Azt ugyanis már korábban átadta egy bizalmas emberének megőrzésre. De a rendőrség hamarosan kiderítette az irat hollétét, és az említett barát lakásán meg is találták. Ez a hír teljesen összeroppantotta Széchenyit, hisz ebben a művében a császárt furfangos fiatal rókának, derék piócának és képmutató komédiásnak titulálta. Az ekkor már testileg-lelkileg meggyötört Széchenyi joggal érezhette, hogy ezt a hangot már nem fogja neki megbocsátani a Habsburg udvar. De mégsem attól félt igazán, hogy felségsértőként perbe fogják, hanem hogy mint beszámíthatatlan beteget állami tébolydába zárják élete végéig.

Hetekig küszködött önmagával, miközben folyamatban volt ellene a rendőrségi vizsgálat. S egyre inkább úgy látta, nincs kiút számára. A naplójába bejegyzett utolsó sorok is így szóltak: „Nem tudom magam megmenteni." 1860. április 8-án, húsvét vasárnapján főbe lőtte magát. Széchenyi halála mélységesen megrendítette az országot.

– Meggyilkolták! – terjedt futótűzként a hír. A bécsi udvar ugyan sietve próbálta tisztára mosni magát, de a „legnagyobb magyar" halála mégis a császári kormány lelkén száradt. Ezért is sürgették olyan nagyon a temetést, nehogy a fél nemzet összefusson a nagycenki kriptánál. Azt azonban mégsem sikerült megakadályozni, hogy rövidesen egymást ne érjék az egész országban a Széchenyi-emlékünnepségek.

Batthyány Lajos

gos politikai életbe. Az 1839–40-es, és az 1843–44-es országgyűléseken mint a főrendi ellenzék vezetője lépett fel. 1847-ben az Ellenzéki Párt elnökévé választották. 1848. március 15-én a felirati javaslatot Bécsbe vivő küldöttség tagja volt, majd V. Ferdinánd őt nevezte ki miniszterelnöknek. Batthyány haladéktalanul kihirdette a jobbágyfelszabadítást, hozzálátott a kormány megszervezéséhez és a forradalmi átalakulás törvényes úton történő véghezviteléhez. Amikor a békés kibontakozás terve meghiúsult, Batthyány 1848 szeptemberében lemondott miniszterelnöki tisztéről, de a nádor újra felkérte vezető posztja betöltésére. Amikor Jellasicsot a bécsi kormány Magyarország ellen fordította, a miniszterelnök végképp lemondott. 1849 januárjában

1806-ban Pozsonyban született arisztokrata családban. Édesapját korán elveszítette, könnyelmű anyja pedig nem foglalkozott vele. Tizenhat éves korában belépett a hadseregbe, ahol huszárhadnagy lett. 1831-ben fejezte be katonai pályafutását, s ekkor szerezte meg anyjától peres úton a birtokait, melyen később korszerű gazdálkodást folytatott. Wesselényi és Széchenyi hatására bekapcsolódott az orszá-

nök végképp lemondott. 1849 januárjában még részt vett a Windischgrätz elé járuló békeküldöttségben, de vele nem tárgyalt az osztrák kapitány. Néhány nappal később letartóztatták, hadbíróság elé állították, és Olmützben halálra ítélték. Haynau kötél általi halált rótt ki rá. Batthyány a börtönben egy becsempészett tőrrel súlyosan megsebesítette a nyakát, ezért október 6-án golyóval végeztek vele.

örgey Artúr, aki Kossuthtól teljhatalmat kapott, 1849. augusztus 13-án, Világosnál letette a fegyvert. De még utoljára sikerült borsot törnie az osztrákok orra alá azzal, hogy az orosz egységek előtt adta meg magát. A sértett császáriak bosszúért lihegtek. S annak ellenére, hogy az angol kormány, de még az orosz cár is önmérsékletre szólította fel a Habsburg udvart, a fegyverletétel után véres megtorlás következett. Haynau irányításával október 6-án 13 honvéd főtisztet végeztek ki, majd Pesten agyonlőtték a mindvégig együttműködést kereső Batthyány Lajost, az első felelős magyar miniszterelnököt...

A fogház kongó üres folyosóját rohanó összevissza léptek zaja verte fel. A rabok kifinomult hallását nem lehetett becsapni. Mindannyian tudták, hogy valami rendkívüli eset történt. A riadt rohanás megtorpant egy cella ajtaja előtt. Reszkető kéz kereste a kulcslyukat, amit végre megtalált, s az ajtóban egy halálsápadt, tántorgó alak jelent meg, s nyöszörgő hangon így szólt:

– Doktor úr... az ég szerelmére...

A rémült hajnali látogató Pollák volt, a börtönőr. Az egyébként merev járású komor főfoglár most izgatottan karonragadta a félig felöltözött rabdoktort, Balassa professzort, s valósággal vonszolta maga után, miközben így kiabált:

– Tanár úr... jöjjön azonnal... föl, a második emeletre. Batthyány gróf úr...

Az ott maradt rabok némán, szorongva várták, hogy valamit megtudjanak a porkoláb kétségbeesésének okáról. Már világosodott, amikor újra lépések neszét lehetett hallani. A cellába bevánszorgó professzort társai azonnal faggatni kezdték. A doktor feldúlt állapotban volt, s először csak akadozva tudott beszélni:

– A nyakába... hátulról beleszúrt. Valaki tőrt csempészett be hozzá. Most vérben fekszik. Ha csak egy ujjnyival is lejjebb szúr, már mindenen túl volna...

A professzor végül elmondta, hogy Batthyány Lajos súlyosan megsebesítette magát, és most a haldoklót ügybuzgó hadbírók és katonaorvosok veszik körül, lesve a pulzusát és a lélegzetét, de nem azért, hogy meggyógyítsák, hanem hogy legalább egy negyedórára talpra állítsák, amíg elvezetik a vesztőhelyre. A német orvosok valóságos tanácskozást tartottak a beteg fölött, s arról vitatkoztak, hogy az ítéletet végre lehet-e hajtani még aznap.

Balassa professzor ekkor már könyörgött és rimánkodott:

– Uraim, kolléga urak! Hiszen önök orvosok... Önöknek tudni kell, hogy erre a borzalmas sebre nem lehet rátenni a kötelet.

De azok mit sem törődve a magyar orvos szavaival, a vállukat vonogatták.

Iszonyú küzdelem folyt egy ember tízperces életéért. S csakis azért, nehogy párnák közt hallhasson meg, s hogy Haynaunak nehogy elmaradjon az aznapi látványossága.

Délfelé járt az idő, amikor fölpattant az ajtó, és a börtönőr két közrendű rab kíséretében megérkezett az ebéddel. Mikor a rabok kimentek, a cella lakói faggatni kezdték a porkolábot, aki persze nem akart beszélni. Aztán mégis megeredt a nyelve. Óvatosan körülnézett, és ezt súgta:

– Golyó, este!

A magyar foglyok újra egyedül maradtak félelmeikkel. Némán ültek az ágy szélén, és már egymáshoz sem tudtak szólni. Az étel érintetlenül maradt a csajkában.

Lassan besötétedett.

– Vajon hány óra? – kérdezte feleletre nem is számítva az egyik rab.

Aztán újra feszült csend lett, amibe a folyosóról behallatszó egyenletes lépések zaja hirtelen belehasított. Legalább tíz-tizenkét katona lehetett, akik lassan, ütemesen közeledtek az udvarra nyíló kapu felé. De a gépies egyformasággal lépő lábak harmóniáját egy csetlő-botló csoszogás törte meg. Ez volt Batthyány Lajos, akit halálos sebesülése ellenére a vesztőhelyre citáltak és agyonlőttek.

A liberális magyar nemesség utolsó nagy nemzedéke a gondos tisztogatások következményeképpen fizikailag is elvérzett. Ezt az óriási veszteséget már nem tudta pótolni az ország, de heroikus küzdelmük mégsem volt hiábavaló.

Kossuth Lajos

Végül 1837-ben letartóztatták, és négyévi börtönre ítélték. 1840-ben szabadult, és 1841-ben már a Pesti Hírlapot szerkesztette nagy sikerrel. 1844-ben titkosrendőri intrikák miatt megvált újságától, de közéleti szereplése egyre jelentősebbé vált. Közreműködött a Magyar Kereskedelmi Társaság és a Gyáralapító Társaság létrejöttében, és a Védegylet ügyvezető igazgatója lett. Az utolsó rendi országgyűlésen Pest megye követévé választották, ahol döntő szerepet játszott az „áprilisi törvények" kidolgozásában és elfogadtatásában. Az első felelős magyar minisztériumban pénzügyi tárcát kapott. A Honvédelmi Bizottmány elnökeként irányította az ország önvédelmi harcát. 1848 végén Kossuth irányításával a kormány Debrecenbe költözött. Itt került sor április 14-én a Habsburg-ház trónfosztására és Kossuth kormányzó elnökké való kinevezésére. Az 1849-es világosi fegyverletétel után Törökországba menekült. Nagy bánatára, szülőföldjét nem láthatta már soha többet. Magyarországra csak az 1894-ben bekövetkezett halála után hozták. Budapesti temetésén egy egész ország gyászolta Kossuth Lajost.

1802-ben birtoktalan kisnemesi famíliában született Zemplén megyében. 21 éves korára ügyvédi oklevelet szerzett. 1831-ben mint kolerabiztos tevékenykedett a járvány sújtotta vidékeken. Részt vett az 1832–1836-os országgyűlésen, s ekkor szerkesztette az Országgyűlési Tudósításokat. A diéta berekesztése után kezdte el írni a Törvényhatósági Tudósításokat, melyet a kormány ferde szemmel nézett.

indischgrätz 1848 telén megindult 44 ezer főnyi seregével Magyarország megrendszabályozására. A 25 ezer részben kiképzetlen magyar honvédség új fővezére Görgey Artúr lett. Kossuth, a Honvédelmi Bizottmány elnöke a Dunántúlról visszavonuló hadvezéreknek, Perczel Mórnak és Görgeynek aktív védekezést adott parancsba. Ha a két sereg hatékonyan együttműködik, egyesült erővel talán Windischgrätz csapatát a főváros előtt megállíthatták volna. De a két tábornok gyűlölte egymást, így nem egyeztették intézkedéseiket. Görgey a félelmetes túlerőt látva harc nélkül visszavonult, s ezért Mórnál a Perczel seregére zúduló császáriak elsöprő győzelmet arattak. A csatavesztéssel a főváros sorsa is megpecsételődött...

December 31-én összeült a képviselőház, hogy megbeszélje a további teendőket. Kossuth Lajosnaknak jutott az a hálátlan feladat, hogy ismertesse az ország tragikus hadi helyzetét. Ezután nyilvánvalóvá vált a résztvevők előtt, hogy a kormány nem maradhat tovább Pesten, ezért elfogadták azt a tervet, hogy tegyék át a székhelyüket Debrecenbe, és Batthyány Lajos javaslatára a parlament békeküldöttséget indított Windischgrätz bicskei táborába.

A tanácskozás után a kormány minden vagont lefoglalt a szolnoki vasútállomáson, mert el kellett szállítani a fegyvergyár felszerelését, a bankjegynyomdát, a Honvédelmi Bizottmány iratait és a nemesfémtartalékokat. Kossuth már 31-én éjjel elindult Debrecenbe, hogy ott biztosítsa a terepet, így a kiürítés feladata Csányira, Madarászra és Vetter tábornokra hárult. A kormánybiztosok a hatalmas munkát sikeresen lebonyolították, de az árulást ők sem tudták megakadályozni. Így történhetett meg, hogy a pénzügyminisztériumot vezető Duschek az állam nemesfémtartalékait „véletlenül" a Kereskedelmi Bank pincéjében „felejtette", ezzel megakadályozva a bankóprés debreceni újrafelállítását. A képviselők közül néhányan az osztrákok által körülzárt fővárosban maradtak, és rövidesen az ellenség táborában tűntek fel.

A békeküldöttség január 3-án érkezett Bicskére. Windischgrätz azonban teljhatalmára hivatkozva megakadályozta, hogy a küldöttek a császárhoz utazzanak. Az osztrák tábornok egyetlen „választási" lehetőséget adott a magyaroknak, a feltétel nélküli megadást. S hogy fölényét még nyomatékosabbá tegye, Batthyány Lajossal nem volt hajlandó tárgyalásokba bocsátkozni.

Ebben a kilátástalan katonai és politikai helyzetben, január 2-án ült össze a haditanács. S mivel Kossuth az elsők között hagyta el az ellenség által fenyegetett fővárost, rájuk várt a feladat, hogy kidolgozzák a haditervet, és irányítsák az ország katonai megmozdulásait.

A császáriak ezalatt szabadon garázdálkodhattak az országban. Schlick osztrák csapataival megsemmisítő vereséget mért a Mészáros Lázár által igen tehetségtelenül vezetett magyar haderőre. Január 5-én Windischgrätz elérte Budát, s a legkisebb ellenállást sem tanúsító várost megszállta, s néhány nap múlva megindult, hogy felszámolja a Tiszánál húzódó utolsó magyar védelmi vonalat.

Egy tényezőt mégsem vettek figyelembe a magabiztos császáriak. Mégpedig azt, hogy az erdélyi zászlóaljakat a lengyel származású zseniális hadvezér, Bem József irányítja. Puchner megfutamításával Bem egy hónap alatt megváltoztatta az erdélyi hadihelyzetet, bár az ellenség végig számbeli fölényben volt. Bem győzelmei biztosították az ország belsejében folyó hadműveletek hátát, hiszen csak Erdély határai nem álltak nyitva az orosz és osztrák csapatok előtt. S így a kormány is nyugodtan berendezkedhetett Debrecenben, valamint Nagyváradon, ahol megkezdődött a hadigyártás. Windischgrätz így nem sok kárt tehetett, mert az elköltöztetett kormány működőképes maradt.

De hiába ért el óriási sikereket Bem a keleti határszélen, az ország sorsa a fősereg támadási körzetében, a Duna–Tisza közén dőlt el. A haditanács kissé megkésve látta be, hogy a szétforgácsolódott magyar haderőt egyesíteni kell. Az összevonást nagy nehézségek árán sikerült végrehajtani, és ezáltal megteremteni a feltételeket a dicsőséges tavaszi hadjárathoz.

Bem József

csapatok főparancsnokának nevezte ki. Bem tábornok sikeresen egyesítette a korszerű harcászatot a forradalmi hadviselés módszereivel. Mindig az első vonalban harcolt katonáival együtt. Számított a népfelkelők csatlakozására, ezért a nemzetiségi lázadóknak büntetlenséget adott. Az Erdély területén dúló katonai akciókban nagy eredményeket ért el. 1849 tavaszán kemény harcok árán kiverte Erdélyből a császári csapatokat, majd Perczel Mór segítségével megtisztította az ellenségtől Temesközt is. Az oroszok támadása idején újra Erdélyben harcolt, és sikeresen tartóztatta fel egy ideig a többszörös túlerőben lévő cári-császári hadakat. Végül 1849 júliusában Segesvárnál, augusztus elején pe-

A lengyel származású tábornok 1794-ben született. A varsói katonai akadémián végezte tanulmányait, s már Napóleon seregében főhadnagyi rangot kapott. Az 1830-ban kezdődő lengyel szabadságharcban tábornokként szerzett hírnevet. 1848 októberében még Bécs védelmét irányította, de az osztrák főváros eleste után Pozsonyba ment, ahol felajánlotta katonai szolgálatait Kossuthnak, aki az erdélyi dig Nagycsűrnél szenvedett vereséget. Ekkor Kossuth a Temesközben összevont magyar haderő parancsnokává nevezte ki. Augusztus 9-én megütközött a császári fősereggel, de harc közben lebukott a lováról, s így a vezető nélkül maradt magyar csapat meghátrált. Bem tábornok augusztusban elhagyta Magyarországot. Később mohamedán hitre tért, és Aleppo kormányzójaként halt meg 1850-ben.

Erdély védelmét a legendás hírű Bem József, vagy ahogy katonái nevezték, Bem apó vezette az 1848–49-es szabadságharcban. A magyar ellentámadás sikere attól függött, hogy Bem tartani tudja-e az erdélyi frontot. De ő ennél sokkal többet tett. Miután Urban román határőreit Bukovinába kergette, a császári főparancsnok, Puchner ellen fordult. Január 13-án bevonult Marosvásárhelyre, s maga mellé állította az egész Székelyföldet. Január 17-én Gálfalvánál a császári csapatok vereséget szenvedtek. De ezután Bem tábornok is hibázott. A székely népfelkelőket be sem várva Nagyszebenbe vonult, ahol azonban kudarcot vallott. Egészen Déváig hátrált, s itt magához vette a magyarországi felmentő seregeket, és ellentámadásba lendült. Február 9-én a még mindig erőfölényben lévő Puchnert a piski csatában legyőzte...

Piski egy szegény kis falu a Sztrigy nevű folyócska partján. Ezen a folyón vezetett át egy körülbelül 40 méter hosszú fahíd, melyen az Aradra tartó országútra lehetett jutni. Így a piski hidat Erdély kapujaként emlegették, s ezért volt olyan fontos, hogy a magyar honvédek akár életük árán is megvédjék. Bem jól tudta ezt, ezért a csata kezdetén a rettenthetetlen bátorságú Kemény Farkast bízta meg a híd őrzésével.

1849. február 9-én már 6 óra előtt eldördültek az első ágyúlövések. Kisvártatva az egész vonalon megkezdődött a fegyveres küzdelem. 9 óra tájban megindult az ellenséges gyalogság, és a 11. magyar honvédegységet leszorította a hídról. Ámde a közeli füzesekből ágyúlövések dörrentek, és a magyar sereg előreszegezett szuronyokkal visszarohant a hídra. Amint a híd feljárójához értek, csodálkozva látták, hogy az ellenség kezében fehér kendő lobog. Erre a honvédek rögtön beszüntették a támadást, és gyanútlanul közeledtek a megadást színlelő osztrákokhoz. Kemény Farkas is fellovagolt a hídra, hogy tárgyaljon az ellenséggel, mire az egyik császári tiszt azt kérdezte tőle:

– Ön Bem tábornok?

– Az vagyok! – szólt félig tréfásan Kemény. Ebben a pillanatban a tiszt a lovas felé sújtott kardjával, aki ha idejében nem ugrik félre, a merénylet áldozata lesz.

Erre a honvédek rávetették magukat az ellenségre, és rettentő kézitusa kezdődött. Ebbe a kavarodásba érkezett Czetz ezredes segédhadaival. Ő a magyar tüzérség előnyösebb felállításával foglalatoskodott. Az átcsoportosított ágyúk ezután tüzet nyitottak az osztrák ezredre, s azok meglepődöttségükben hátrálni kezdtek.

Ebben a pillanatban jelent meg a hadszíntéren Bem tábornok. Amikor meglátta, hogy a küzdelemben az ő katonái kerekedtek felül, parancsot adott a 11. és 55. zászlóaljnak, hogy foglalják el a piski magaslatokat. A császáriak a Piski mögötti dombokig az egész front hosszában visszavonultak. Ekkor megkezdődött az ellenség üldözése. Középen a Mátyás-huszárok támadták az ellenük küldött lovasságot, de hirtelen megtorpantak, amikor egy árokból az ott rejtőzködő német vadászok gyilkos csatártüzet zúdítottak rájuk. A huszárok hirtelen meghátráltak, mire a mögöttük előrenyomuló bihari lovasok megzavarodva visszafordultak, és átnyargaltak a hídon.

Közben az 55. zászlóaljnak elfogyott a muníciója, és amikor észrevették, hogy bajtársaik megfutamodtak, ők is követték példájukat.

Több se kellett Puchnernek, ellentámadást indított a magyarok ellen. Bem megdöbbenve vette észre, hogy a már-már győztesnek hitt csata egyszeriben a visszájára fordult, és serege fejvesztve menekül. De a tábornok erre is fel volt készülve. A híd mögött két székely zászlóalj és egy szakasznyi lovasság útját állta a menekülőknek, s alig egy fél óra alatt Bem ismét csatarendbe állította seregét. A császáriak a magyar hadak után átzúdultak a folyón, de igencsak meglepődtek, amikor egy előnyösen felállított csapattal találták szembe magukat a túlsó parton.

A küzdelem újra fellángolt, de az osztrákok támadása már nem tudott jelentős kárt tenni a magyar csatarendben. Így az ütközet az erdélyi csapatok fényes győzelmével fejeződött be.

Deák Ferenc

játszott az új büntető-törvénykönyv kidolgozásában. Kiújuló szívbetegsége miatt 1848-ig visszavonult a közéleti szerepléstől, majd igazságügyi tárcát vállalt a Batthyány-kormányban. 1849-ben ő is tagja volt a Windischgrätz elé járuló békeküldöttségnek, de a küldetés sikertelensége után hazament Kehidára. Ott érte a szabadságharc bukásának a híre. Ekkor jelentette ki: „Itthon maradunk és helytállunk"; s ebből a magatartásból bontakozott ki a paszszív ellenállás mozgalma az osztrák önkényuralom idején, melynek ő lett a vezéregyénisége. 1854-ben a fővárosba költözött, s itt dolgozta ki a 48-as törvények eredményeinek megtartásán alapuló programját. 1865-ben a Pesti Napló húsvéti számában jelent

1803-ban született Kehidán. A győri jogakadémián végzett, és már itt kitűnt páratlan emlékezőtehetségével és éles felfogásával. Tanulmányai befejeztével rokonainál lakott. Deák mint fiatal jogász 1829-ben Zala vármegyében táblabíró lett, majd követté választották, és részt vett az 1832–36-os reformországgyűlésen, ahol síkraszállt a jobbágyok örökváltsága mellett. Az 1840-es években fontos szerepet meg az a cikke, mely nagyban elősegítette a magyar–osztrák közeledést. 1866-ban az osztrákok vereséget szenvedtek a poroszoktól, ami gyorsította a kiegyezést és az Osztrák–Magyar Monarchia létrejöttét, mely Deák életének fő műve volt. Újra elhatalmasodó betegsége miatt kénytelen volt visszavonulni a politikai életből, így nem vállalhatta a kormányzás terhét sem. 1876-ban halt meg Deák Ferenc.

Az 1860-as években egyre sürgetőbbé vált, hogy a Habsburg-ház megbékéljen a magyarokkal. A császári udvar által kiadott Októberi Diploma és leginkább a Februári Pátens hátrányosan érintette Magyarországot. Ezért ezeket az 1861-ben összehívott magyar országgyűlés visszautasította. A képviselők egységesen a 48-as törvényekhez ragaszkodtak. Mégis akadt nézeteltérés, legfőképpen abban, hogy hogyan fejezzék ki véleményüket. Az áprilisban megnyílt országgyűlésen a Határozati Párt vezetője Teleki László lett. Az ő álláspontjuk szerint Ferenc József nem magyar király, hozzá nincs miért folyamodni. Elegendő egy világosan megírt határozatban tudatni vele a magyar követeléseket. Ezzel szemben Deák és Felirati Pártja feliratban akarta a császár tudtára adni, hogy a 48-ból nem engednek a magyarok, de ők elismerik az ország uralkodójának. Ebben a vitában nem tudtak megállapodásra jutni a magyar politikusok, de egy tragikus esemény Deák javára billentette a mérleg nyelvét. Május 8-án ugyanis Telekit holtan találták pesti szállásán. Egy hónappal később a császár szétkergette a tanácskozó államférfiakat, de a folyamatot már nem lehetett megállítani...

1863-ban Ferenc József is kezdett megbarátkozni a dualizmus gondolatával. Még nagybátyja, Albrecht, Magyarország volt kormányzója is jónak látta, hogy Deákkal kapcsolatba lépjen az udvar.

A birodalom 1865-ben már annyira el volt adósodva, hogy az állami bevételeknek majdnem a felét a kamatok és törlesztések emésztették fel. Mindenki számára nyilvánvaló volt, hogy a császári politika a csőd felé halad.

Ez év húsvétján jelent meg egy cikk a Pesti Naplóban, melynek szerzője nem fedte fel kilétét. Hangjából azonban mindenki tudta, hogy azt csak Deák írhatta. A magyar politikus újra baráti jobbot nyújtott a nemzet nevében a korábban oly ádáz ellenségnek. A légkör gyorsan enyhülni kezdett. Júliusban Schmerling is távozni kényszerült, majd decemberben újabb országgyűlés ült össze. Most már nem volt megosztottság a parlamentben. Mindannyian Deák szavát lesték. Mégsem volt olyan könnyű tető alá hozni a kiegyezést. Ugyanis Belcredi, az új osztrák főminiszter nem akarta megosztani a hatalmat a magyarokkal.

A döntést a körülmények kényszerítették ki. Az 1866-os porosz–osztrák háborúban az osztrákok maradtak alul. Ennek már hónapokkal korábban lehetett érezni az előszelét, ezért is siettette Deák a kiegyezést előkészítő 15 tagú bizottság munkáját.

A vereség után a békefeltételeket Bismarck, a porosz vaskancellár diktálta. Velencét, mely korábban a Habsburg-birodalom része volt, átadta az olaszoknak, de ő maga egy talpalatnyi területet sem követelt Ausztriától. Inkább arra ösztönözte legyőzött ellenfelét, hogy lépjen ki a Német Szövetségből, és végre rendezze a magyar kérdést.

Bécsben még most is sokan ágáltak a dualista alapon történő kiegyezés ellen. Deák ezt is tudta, ezért jó diplomáciai érzékkel továbbra is a háború előtt tett javaslatához ragaszkodott, és nem srófolta feljebb az alku árát.

Így is több hónapos latolgatás kezdődött, s közben Belcredinek is távoznia kellett. Az új miniszter Beust lett. Neki kellett vállalnia a békeangyal szerepét. A Lajtán innen élők, akik ellenezték a kiegyezés minden formáját, most Deákra zúdították haragjukat. Annál is inkább megtehették ezt, mert mögöttük állt a nagy száműzött, Kossuth Lajos.

Kossuth nyílt levélben támadt a magyar békéltetőre, s a fejére olvasta, hogy milyen károkat okoz a kiegyezés megkötésével a nemzetnek. Jóslatai később beigazolódtak, de előtte még lepergett majdnem fél évszázad, amely a béke és a gyors fejlődés időszaka lett az Osztrák–Magyar Monarchiában.

1867-ben a többszöri felkérés után Magyarország mégis törvényes házasságot kötött Ausztriával. Ez év június 8-án Ferenc Józsefet törvényes keretek között magyar királlyá koronázták. Deák azonban nem vállalta a miniszterelnökség terheit. Ez a korszak legnépszerűbb államférfijára, gróf Andrássy Gyulára várt.

Ferenc József

vezető szerepért vívott küzdelemben újra alul maradtak az osztrákok, s ez a kudarc aláásta az önkényuralmi rendszer stabilitását. 1867-ben létrejött az Osztrák–Magyar Monarchia. Ferenc Józsefet 1867. június 8-án magyar királlyá koronázták. Az ezt követő közel fél évszázad a belső fejlődés és a boldog békeidők korszaka lett. A politikai sikert azonban beárnyékolta az ekkor kezdődő családi tragédiák sorozata. Még ebben az évben agyonlőtték Miksa öcscsét, aki Mexikóban alapított császárságot. 1889-ben fia, Rudolf lett öngyilkos, majd néhány évvel később a legendás szépségű feleségét, Erzsébet királynét gyilkolta meg egy olasz anarchista. 1914-ben Ferenc Ferdinánd és felesége is

1830-ban született Ferenc Károly főherceg és Zsófia bajor hercegnő gyermekeként. 1848. december 2-án az ifjú Ferenc Józsefet választották Ausztria császárává. Uralkodásának első nagy „sikere" a 48-as szabadságharc vérbe fojtása volt. 1859-ben az olasz–francia–osztrák háborúban vereséget szenvedett, melynek következtében Ausztria elveszítette Lombardiát. Hét évvel később a német egység fölött való

merénylet áldozata lett Szarajevóban. Ferenc József külpolitikájának központjában a Monarchia balkáni befolyásának növelése állt. 1908-ban a birodalomhoz csatolta Bosznia-Hercegovinát, s ezáltal szembekerült Oroszországgal. A Monarchia az első világháború kirobbantásában aktív szerepet vállalt Németország mellett. Ferenc József már nem érte meg a háború végét, mert 1916 novemberében meghalt.

A magyar nemzet az 1848–49-es szabadságharc vérbe fojtását nem tudta megbocsátani Ferenc Józsefnek. De ő nem is sokat törődött azzal, hogy népszerűvé tegye magát a magyarok szemében. 1849-ben Haynaut bízta meg, hogy a függetlenségi küzdelem jeles harcosait kivégezze. Az esztelen vérengzést az elnémított ország forrongó gyűlölettel vette tudomásul. Az 50-es években pedig Alexander Bachot ültette a nemzet nyakára, ami felért egy kegyelemdöféssel, mert a miniszter hatályon kívül helyezte a forradalom során elfogadott törvényeket, és Magyarországot a birodalom tartományaként kezelte. Szervezett fellépés ugyan nem történt, de 1853-ban egy fiatal szabólegény Bécsben merényletet kísérelt meg Ferenc József ellen...

1853. február 18-án a császár Maximilian Karl von O'Donell társaságában szokásos déli sétájára indult a várost ölelő bástyára. Az volt a kedvenc szórakozása, hogy a várárokban gyakorlatozó csapatokban gyönyörködött. Nem messze tőlük a padon egy szegényes külsejű, jelentéktelen fiatalember ült, mintha épp csak pihenne. De amikor az uralkodó és O'Donell a bástya mellvédjére hajolt, a fiatalember hirtelen odaugrott, és egy hosszú pengéjű konyhakéssel a császár nyakába szúrt. A szúrás az egyenruha fémgallérját érte, s csak azon keresztül sebesítette meg Ferenc Józsefet. A második szúrásra már nem volt ideje a merénylőnek, mert O'Donell kardot rántott, és egy arra sétáló polgár segítségével harcképtelenné tette a fegyveres támadót.

A császár nem vesztette el az eszméletét, de a kabátján vércsík jelent meg. S még odakiáltott a polgárnak, aki egy Ettenreich nevű bécsi háztulajdonos volt: „Azért ne üsse!" Aztán teljes hidegvérrel kiadta a parancsot a gyilkos őrizetbe vételére, és csak ezután távozott a tett színhelyéről Albrecht főherceg palotájába.

Az eset természetesen nagy izgalmat keltett. A város különböző pontjait katonai alakulatok szállták meg a rend fenntartása érdekében. Este hat órakor a Stephanskirchében a császár megmenekülése alkalmából hálaadó istentiszteletet tartottak. Ezalatt Ferenc József lázasan ágyban feküdt. Orvosai attól féltek, hogy szemidegeit is károsodás érte, s csak hat nappal később érkezett az első megnyugtató orvosi jelentés, de a császár még négy hétig az ágyat nyomta.

A merénylőről sokáig csak annyit tudtak, hogy magyar nemzetiségű, és amikor elhurcolták, Kossuthot éltette. A gyilkos szándékú titokzatos ifjú, Libényi János, 21 éves szabólegény volt. A Fejér megyei Csákváron született, és a forradalom idején lett belőle szabólegény. Így soha nem volt lehetősége arra, hogy fegyverrel a kézben a császári csapatok ellen harcoljon. Amikor a világosi fegyverletétel után látta, hogy honfitársait kivégzik, felakasztják, főbe lövik, és az országban minden szabadságot a sárba tipornak az osztrákok, elhatározta, hogy meggyilkolja a császárt. Erre a célra vásárolt egy meglehetősen hosszú, éles és hegyes fanyelű konyhakést. Ezután a gyilkos szerszámot télikabátja belső zsebében rejtette el, s mindig magánál tartotta. Ezután már csak a kedvező alkalmat kereste, hogy tervét véghezvigye. Saját vallomása szerint, tettét minden idegen irányítástól függetlenül a haza iránti szeretetből hajtotta végre. Szándékát soha senkinek nem árulta el, és így bűntársai sem voltak.

A merénylet után mégis mindenféle híresztelések kaptak lábra. Hogy Libényi a gyilkossági kísérlet előtti napon pénzküldeményt kapott Londonból, ami az emigránsokkal való kapcsolatát volt hivatott igazolni. Ám ezeket a feltételezéseket senki sem erősítette meg. 1853. február 26-án Libényi Jánost a hadbíróság kötél általi halálra ítélte és kivégezte.

Ferenc Józsefnek talán még jót is tett ez az esemény. Tudatára ébredt annak, hogy ő is sebezhető, mint minden ember. Amikor felgyógyult, életében valószínűleg először mondott köszönetet szárnysegédeinek.

A birodalomban mindenhol hálaadó istentiszteleteket tartottak Ferenc Józsefért, s különféle küldöttségek látogatták meg a császárt, hogy gratuláljanak neki felgyógyulása alkalmából. Különösen a Habsburg párti magyarok igyekeztek kifejezni örömüket, nehogy a magyar nemzet lázadásának tűnjön Libényi János tette.

Horthy Miklós

azonban hamarosan beleszólt a politika. A Tanácsköztársaság idején megalakult szegedi ellenforradalmi kormány hadügyminiszterré választotta, majd az ún. nemzeti hadsereg fővezére lett. 1919. november 16-án ellenforradalmi csapatai élén bevonult Budapestre, miközben tiszti különítményei kíméletlen üldöző hadjáratot folytattak a Tanácsköztársaság hívei ellen. 1920. március 1-jén kormányzóvá választatta magát. Horthy politikájának fő irányvonalát a trianoni békeszerződés mindenáron való revíziója határozta meg. Ezzel magyarázható, hogy előbb a fasizálódó Olaszországgal, majd a hitleri Németországgal kötött szövetséget. Amikor pedig a bécsi döntések következtében Magyarország területi egysége

1868-ban született Kenderesen. Tizennégy évesen a Fiumei Tengerészeti Akadémia hallgatója lett, majd törzstiszti vizsgája után céltudatos tengerésztiszt vált belőle. 1909-től 1914-ig Ferenc József szárnysegédjeként szolgált. Feltétlen Habsburg-hűsége jutalmaként a *Novara* nevű cirkáló kapitányának nevezték ki. Az első világháború után visszavonult kenderesi birtokaira. Nyugodt gazdálkodó terveibe

helyreállni látszott – Hitlert támogatva –, a második világháborúba való belépést is jóváhagyta. 1943-ban különbékét akart kötni a nyugati hatalmakkal, de a németek 1944-ben megszállták Magyarországot. Ekkor szánta el magát Horthy a háborúból való kiugrásra, melynek kudarca után Sztójai Döme vette át a hatalmat. Horthy Miklós élete utolsó évtizedét portugál emigrációban töltötte, ahol 1957-ben halt meg.

Az osztrák–magyar haditengerészet legmodernebb cirkálójának, a *Novará*nak 1914 nyarán Horthy Miklós lett a kapitánya. Az új tisztség óriási felelősséggel járt, hiszen több száz matróz élete és a kincstárnyi vagyont érő csatahajó sorsa függött egyetlen elhibázott döntéstől. Németország 1917-ben hirdette meg a tengeralattjárók korlátlan háborúját, amely azt jelentette, hogy a hadizónában tartózkodó minden ellenséges hajót figyelmeztetés nélkül elsüllyesztenek. A javaslathoz a Monarchia is hozzájárult...

A *Novara* 1917. május 14-én este futott ki a tengerre. Az osztrák rombolók egy Brindisibe igyekvő hajókaravánra találtak, s azt tűz alá vették, majd elsüllyesztették. Időközben a *Novara* is elérte úticélját, ahol hálót vontató hajókba ütközött. A figyelmeztetést semmibe vevő személyzet tüzelni kezdett a cirkálóra, de miután felrobbant a kazánja, a matrózoknak menekülniük kellett.

A *Novara* és másik két cirkáló összesen huszonegy halászhajót semmisített meg, s ezzel teljesítette feladatát. Amikor már hazafelé tartottak, Valona irányából nyolc ellenséges romboló tűnt fel, de azok rövid tűzharc után visszafordultak, hogy erősítést hozzanak. Ekkor kapták a jelentést Horthyék, hogy Durazzo magasságában jelentékeny ellenséges erőt vettek észre, mely valószínűleg arra törekszik, hogy elzárja a hazatérés útját az osztrák cirkálók elől. A körülmények úgy alakultak, hogy a Horthy vezette cirkálónak fel kellett venni a küzdelmet az ellenséggel. 9 óra 28 perckor az antant megkezdte a tüzelést. Az angolok igen pontosan céloztak, és a távolság nagyobb volt, mint amennyire a monarchia ágyúi hordtak, ezért Horthy elrendelte a hadihajó elködösítését, hogy annak takarásában közelebbről vehesse fel a harcot. Amikor a távolság már megfelelő volt, a *Novara* kifutott a ködből, s heves ágyútámadást indított az antant hadihajói ellen. A *Novará*t nem sokkal később komoly találat érte. Megsérült a parancsnoki híd, és a hajózási fülke is. Az egyik ágyú harcképtelenné vált, és heves tűz ütött ki a fedélzeten.

10 óra 10 perckor gránát robbant a hajón, ami súlyosan megsebesítette a parancsnokot. Horthynak öt gránátszilánk hatolt a lábába, s egy repeszdarab lesodorta a sapkáját. Az egész ruhája lángba borult, de a matrózok sietve eloltották a tüzet, s így komolyabb égési sérülést nem szenvedett. Azután a tengernagy mit sem törődve a sebeivel, egy hordágyon a fedélzet elejére vitette magát, és onnan irányította a továbbiakban a küzdelmet. A *Novara* parancsnokságát Witkowski sorhajóhadnagyra bízta, aki kifogástalanul teljesítette a feladatot. A flottaosztály vezetését azonban Horthy még sérülten sem engedte ki a kezéből.

10 óra 35 perckor újabb találat érte a *Novará*t. A tizenhat kazánból előbb nyolcat, majd mind a tizenhatot le kellett állítani, ezért a hajó már saját erejéből nem tudott mozogni.

Fél tizenkettőkor megérkezett a felmentő sereg. A *Saida* nevű cirkáló megközelítette a *Novará*t, hogy vontatókötélre vegye. A manőver végrehajtása alatt a *Helgoland* fedezte a bajba jutott testvérhajót. Purschka lovag sorhajókapitány, a *Saida* parancsnoka a gránáteső ellenére sikeresen végrehajtotta a nehéz műveletet. Közben az ellenség repülőtámadásai ellen is védekezni kellett a monarchia cirkálóinak.

S amikor már úgy tűnt, hogy a *Novara* megmenekült, és a legénység fellélegezhet, délről újabb füstoszlopok tűntek fel. Az egész ellenséges kötelék – mintegy tíz csatahajó – egységes arcvonalba fejlődött, és a központi hatalmak flottája ellen fordult. Ekkor válságos pillanatok következtek. A *Novara* mozgásképtelen volt, az ellenség pedig elsöprő fölénnyel rendelkezett. Horthy, mivel a hordágyról nem láthatta, megkérdezte Witkowskit, hogy mi van készülőben. A hadnagy egy kicsit még borús arccal így válaszolt:

– Úgy látszik, megfordulnak és elhagyják a harcteret.

És valóban, az antant flottája Brindisi felé fordult, majd lassan eltűnt a déli szemhatárra boruló párázatban. A *Saida*, vontatókötelén a *Novara* cirkálóval 12 óra 25 perckor hazafelé indult, majd lehorgonyzott a Cattarói-öbölben.

Nagy Imre

teljesült ekkor, hisz 1945-ben ő vezethette a földosztást. Az új kormányban viszont a Belügyminisztérium irányítását bízták rá. De Rákosiék elégedetlenek voltak vele, mert Nagy az erőszakos termelőszövetkezeti politika miatt vitába szállt a vezetőséggel. 1953-ban lépett újra színre, amikor a szovjet vezetés Rákosi leváltása után őt nevezte ki miniszterelnöknek. Kormányprogramja enyhített a korábbi évek szigorú intézkedésein, de ellenfelei nem hagytak időt a kibontakozásra. Nagy Imre ekkor szívrohamot kapott, ami jó alkalom volt arra, hogy lemondassák posztjáról. A magyar nép azonban nem feledkezett meg jótevőjéről. 1956. október 23-án a forrongó tömeg őt követelte az ország élére. Más-

1896-ban született Kaposvárott, nincstelen vasutas családban. Fiatalon Budapestre ment, ahol a MÁVAG gyárban dolgozott. Az első világháború idején orosz fogolyként találkozott először a bolsevik eszmékkel, s az első adandó alkalommal belépett a bolsevikok pártjába. 1944 telén a Debrecenben megalakult Ideiglenes Nemzeti Kormányban mezőgazdasági miniszteri posztot kapott. Élete nagy álma nap Nagy Imre lett a miniszterelnök, s új kormányt alakított. November első napjaiban úgy tűnt, hogy teljesül a nép akarata – a többpártrendszer és az ország semlegessége –, csakhogy szovjet tankok árasztották el Budapest utcáit. Ekkor a miniszterelnök a jugoszláv nagykövetségre menekült, ahonnan Romániába hurcolták. Nagy Imrét 1958. június 16-án titokban kivégezték, és jeltelen sírba temették.

z 1956. október 23-án kitörő forradalom egyik előzménye az 1949-ben törvénytelenül kivégzett Rajk László belügyminiszter október 6-i újratemetése volt. A megjelentek közül sokan már nem a párt mártírját gyászolták, hanem az embertelen rendszer ellen tüntettek némán. Eközben a legfelsőbb vezetés tagjai Jugoszláviába tettek baráti látogatást. Ekkor kezdtek mozgolódni a fiatal értelmiségiek is. A Műszaki Egyetemen tanulók szervezete 16 pontban foglalta össze a párttal szemben támasztott követeléseit. A 16. pont a másnap (azaz október 23-a) délután 3 órára tervezett felvonulást tartalmazta. A békés tüntetést a lengyel függetlenségi mozgalommal való együttérzés kinyilvánítása miatt szervezték meg a fiatalok. Aznap, kedden érkezett haza Jugoszláviából az állami vezetők csoportja...

12 óra 53 perckor a rádióban ez a közlemény hangzott el: „A Belügyminisztérium nyilvános utcai gyűléseket, felvonulásokat a további intézkedésig nem engedélyez."

Másfél óra múlva mégis megtört a jég. 14 óra 23 perckor beolvasták a rádióban, hogy „Piros László belügyminiszter a kihirdetett gyülekezési és felvonulási tilalmat feloldja." A gyors pálfordulás oka az volt, hogy a kormány sejtette: az ifjúság a tiltások ellenére megtartja a felvonulást.

Délután három órakor a Petőfi-szobor előtt tízezer ember előtt Sinkovits Imre színész elszavalta a Nemzeti dalt, és felolvasták a 16 pontot. A Bem-szoborhoz érve már a százezret is meghaladta a tömeg létszáma. Itt Bessenyei Ferenc mondta el a Szózatot, majd az egyre duzzadó emberáradat a Parlament elé vonult. A mindinkább türelmetlenebbé váló tömeg Nagy Imrét akarta hallani, de ő csak késve érkezett meg. Beszédét, melyet a sztálini időkben használatos megszólítással kezdett – „Elvtársak!" –, vegyes érzelmekkel fogadták az egybegyűltek. Az általános hangulat azonban egy rigmusban fogalmazódott meg: „Gerőt a Dunába! Nagy Imrét a kormányba!"

Ezután a megdühödött tömeg a két gyűlölt személy, Gerő és az egykor bálványként tisztelt Sztálin ellen fordult. Az ekkor már három éve halott szovjet vezér 18 méter magas szobra a Városligetben volt felállítva. A felvonulók köteleket vetettek a nyakába, és így próbálták ledönteni. Végül valahonnan előkerült egy lángvágó, amellyel a szobrot sikerült eltávolítani a helyéről. A talapzaton csak két óriási bronzcsizma maradt. Gerőt a Rádió épületénél akarták bevárni a tüntetők, de itt más dolguk is akadt. Követeléseiket szerették volna beolvastatni, amit azonban megtagadtak a rendszer hívei. Este nyolckor hangzott el Gerő Ernő beszéde, amely csak szította az egyébként is parázs hangulatot.

Sötétedéskor eldördültek az első lövések, és megindult a fegyveres harc.

Éjszaka felgyorsultak az események. Nagy Imrét visszavették a Központi Vezetőségbe és a Politikai Bizottságba, majd az Elnöki Tanács miniszterelnökké nevezte ki, de Gerőt is megerősítették tisztségében. Az ő közbenjárására kérték fel a szovjet vezetőséget a magyarországi rend helyreállítására. A szovjetek viszont már Gerő telefonja előtt megindultak a főváros felé. Nagy Imre is jelen volt, de még mint magánember, amikor jóváhagyták a fegyveres beavatkozást. A vezetőség ugyanis abban reménykedett, hogy a szovjet páncélosok megjelenése elegendő lesz a béke helyreállításához.

A szovjet vezetés nem elégedett meg a szóbeli felkéréssel, hanem a kormány hivatalos nyilatkozatát követelte. De Nagy Imre már mint miniszterelnök, ezt nem volt hajlandó megadni. Később ennek ellenére mégis megtörtént a szovjet támadás, ami vérbe fojtotta a magyar függetlenségi törekvést. Ezzel párhuzamosan az Államvédelmi Hatóság alakulatai és a forradalmi csapatok között is folyt a vérontás. Másnapra már teljes volt a káosz. Az egész Budapest csatatérré változott. Kihirdették a statáriumot, és 9 óra 18 perckor kijárási tilalmat rendeltek el. Az új miniszterelnök déli 12 órakor szólt először rádión keresztül a néphez. A harcok beszüntetésére kérte az ellenállókat, és ismertette programját, melyben demokratizálódást ígért, de az események később nem úgy alakultak, hogy az ígéretek valóra is váljanak.

Felhasznált irodalom

Bertényi Iván–Diószegi István–Kalmár János–Horváth Jenő–Szabó Péter: **Királyok könyve** Officia Nova Kiadó, Budapest, 1995.

Bene Sándor–Borián Gellért: **Zrínyi és a vadkan** Helikon Kiadó, Budapest, 1988.

Hangay Zoltán: **19 történelmi arckép a 19. század magyar történelméből** Trekor Kiadó, Budapest, 1991.

Mezey László Miklós–Pobori Ágnes: **20 történelmi arckép a 20. század magyar történelméből** Trekor Kiadó, Budapest, 1991.

Balla Árpád: **Történelmi olvasókönyv** Korona Kiadó, Budapest, 1993.

Závodszky Géza: **Történelmi olvasókönyv** Korona Kiadó, Budapest, 1993.

Lengyel Dénes: **Régi magyar mondák** Móra Kiadó, Budapest, 1995.

Lengyel Dénes: **Magyar mondák a török világból és a kuruc korból** Móra Kiadó, Budapest, 1981.

Bak Borbála–Mann Miklós–Szabolcs Ottó–Vértes Róbert–Waczulik Margit–Závodszky Géza: **Ki kicsoda a történelemben** Lande Kiadó

Benczédi László–Gunst Péter–Heckenast Gusztáv–L. Nagy Zsuzsa–Márkus László: **Magyar történelmi kronológia** Tankönyvkiadó, Budapest, 1987.

Horváth Csaba: **Magyarország 1944-től napjainkig** Prezident Bt., Pécs, 1995.

L. Nagy Zsuzsa: **Magyarország története 1918-1945** Történelmi Figyelő, Debrecen, 1991.

Horthy Miklós: **Emlékirataim** Európa Kiadó-História, Budapest, 1990.

Walter Mária: **Történelem a gimnázium II. ostálya számára** Tankönyvkiadó, Budapest, 1988.

Dümmerth Dezső: **Emese álma – virrasztó géniusz** Ifjúsági Lap- és Könyvkiadó, Budapest, 1986.

Lázár István: **Kis magyar történelem** Gondolat Kiadó, Budapest, 1989.

Teke Zsuzsa: **Hunyadi János és kora** Gondolat Kiadó, Budapest, 1980.

Barta Gábor: **Az erdélyi fejedelemség születése** Gondolat Kiadó, Budapest, 1979.

Somogyi Éva: **Ferenc József** Gondolat Kiadó, Budapest, 1989.

Somogyi Éva: **Abszolutizmus és kiegyezés 1949-1867** Gondolat Kiadó, Budapest, 1981.

Ifj. Barta János: **Mária Terézia** Gondolat Kiadó, Budapest, 1988.

Várady Géza: **Ezernyolcszáznegyvennyolc, te csillag** Gondolat Kiadó, Budapest, 1976.

Závodszky Géza: **Történelem a gimnázium III. osztálya számára** Tankönyvkiadó, Budapest, 1990.

Varga Domokos: **Magyarország virágzása és romlása** Móra Kiadó, Budapest, 1977.

R. Várkonyi Ágnes: **Két pogány közt** Móra Kiadó, Budapest, 1979.

Fekete Sándor: **Haza és haladás** Móra Kiadó, Budapest, 1985.

Varga Domokos–Csaba József: **Vér és arany** Móra Kiadó, Budapest, 1989.

Szerencsés Károly: **Magyarország története a II. világháború után (1945-1975)** IKVA Kiadó, Budapest, 1990.

Tartalomjegyzék

Előkészületben!

Honfoglalás

A magyar nép krónikája
10 kötetben

Az első kötet címe: Honfoglalás

A Bera Károly által gazdagon illusztrált könyvet gyermekeknek és felnőtteknek egyaránt ajánljuk.

Már megjelent!

Magyar történelem

gyermekeknek

A képes MAGYAR TÖRTÉNELEM GYERMEKEKNEK
gazdag, színes képanyaggal, térképekkel és ábrákkal
segíti az iskolások történelmi tanulmányait.
A kézikönyvként is jól használható kiadvány a
vándorlások korától egészen napjainkig ad átfogó
képet nemzetünk történelméről.
A kötet célja az, hogy a múlt eseményei között a
gyermekeket elkalauzolja.

998 —

A nyomás a debreceni Kinizsi Nyomdában készült
Felelős vezető: Bördős János
Felelős kiadó: AQUILA Könyvkiadó